GILBERT BOULANGER

L'ALOUETTE AFFOLÉE

La collection « Mémoire des Amériques » est dirigée par David Ledoyen.

Photo de la couverture : Avro Lancaster B Mk II, 1943

www.luxediteur.com

Dépôt légal : 2e trimestre 2010
Bibliothèque et Archives Canada
Bibliothèque et Archives nationales du Québec
ISBN 978-2-89596-096-6

Ouvrage publié avec le concours du Conseil des arts du Canada, du programme de crédit d'impôt du gouvernement du Québec et de la SODEC. Nous reconnaissons l'aide financière du gouvernement du Canada par l'entremise du Fonds du livre du Canada (FLC) pour nos activités d'édition.

L'ALOUETTE AFFOLÉE

À la mémoire de Marie Eileen Rees, mon épouse,
et en souvenir de ma nièce, Danielle Thibault,
qui a inspiré ce récit.

PRÉFACE

L'ANNÉE 2009 a marqué le centenaire de l'aviation au Canada. Cet anniversaire nous rappelle à quel point cette histoire, bien qu'encore jeune, est néanmoins riche de succès, de passions et de rêves. En cette époque où tout bouge très vite, où tout semble toujours porter notre regard vers demain, il est utile de prendre le temps de réfléchir à notre passé avec un livre comme *L'alouette affolée*.

Gilles Boulanger y raconte l'histoire d'un jeune adolescent, encore insouciant et naïf, parti de Montmagny pour se rendre sur le théâtre des opérations d'un des pires conflits de l'histoire humaine, la Seconde Guerre mondiale. À travers son histoire, qui est aussi celle de l'escadrille 425, on découvre peu à peu un homme tantôt pragmatique, tantôt poète, souvent romantique, un conteur qui se plaît à nous transmettre son récit d'une époque plus que difficile.

Une des forces de ce livre est qu'il nous permet de mieux nous faire comprendre la trajectoire de bien d'autres jeunes de cette époque. Certains d'entre eux comme Gilles Boulanger sont revenus. Mais les disparus se comptent par dizaines de milliers. Parmi les survivants, certains ont cru que le silence s'imposait. D'autres ont pensé qu'un devoir de mémoire nécessitait qu'ils racontent leurs aventures au moins à leurs proches. Quelques-uns, comme Gilles Boulanger, ont fait l'effort de rédiger leurs mémoires pour le grand public. Aujourd'hui, Gilles Boulanger est l'un des derniers survivants de cette terrible époque.

L'escadrille 425, les Alouettes, demeure l'une des plus décorées de l'histoire de l'aviation militaire canadienne. Aujourd'hui rebaptisée 425e escadron tactique de chasse, les Alouettes sont maintenant composées d'avions CF-18 Hornet. Ils ont pour base Bagotville, au royaume du Saguenay. Gilles Boulanger nous explique que cette escadrille a la réputation de ne jamais se reposer. Je me permets d'ajouter qu'elle a toujours été fière et passionnée, ce qui en fait l'une des unités les plus prisées de la Force aérienne du Canada.

Au nom des Alouettes d'aujourd'hui je tiens à remercier Gilles Boulanger pour le cadeau qu'il nous fait et tout particulièrement d'avoir su immortaliser par sa plume éloquente et bien vivante l'escadron 425. Il a réussi à dégager ce je-ne-sais-quoi qui inspire aux Alouettes une fierté légitime. Tous les passionnés d'aviation devraient avoir la chance de rencontrer,comme moi, un personnage aussi hors du commun que l'est Gilbert « Gilles » Boulanger.

Lieutenant-colonel Paul Prévost,
Commandant 425e escadron tactique de chasse,
3e escadre de Bagotville

CHAPITRE I

L'ALOUETTE AFFOLÉE

De notre base en Tunisie, nous décollons pour un septième raid en direction de l'Italie. Nous devons traverser la Méditerranée pour atteindre notre cible. D'imprévisibles dangers nous menacent. Notre départ de Pavillier se fait avec fracas et poussière, comme toujours. Les 15 Wellington, forts de leurs 30 moteurs, décollent en ligne frontale. Ils créent ainsi une tempête de poussière rouge qui ne se dissipe pas avant une heure.

Toutes les nuits, impossible d'éviter les gros cumulus chargés d'électricité qui nous barrent la route à tout juste quelques milles de la péninsule du cap Bon. Encore une fois, nous longeons celle-ci. Au crépuscule, la péninsule ressemble à une grande tache d'encre de Chine souillant la mer, étendant ses tentacules au gré de sa fantaisie.

Chuck s'adresse à l'équipage. Il recommande de s'attacher parce qu'il y aura beaucoup de turbulences. Dans ces gros avions des forces alliées, les communications se font en anglais. Toujours. Peu importe l'origine de l'équipage.

Notre escadre est incapable de gagner de l'altitude pour dominer les nuages. Nous empruntons des routes chimériques pour tenter d'échapper aux vents contraires. Les cumulus risquent de transformer en chiffon notre bombardier. Malgré les menaces du ciel, je suis séduit par la beauté soudaine des éclairs de couleur pastel tandis que le pilote tourne, vire, prend de l'altitude ou pique vers la mer, se cherchant en vain une route plus facile.

Notre avion, un Vickers Armstrong Wellington [1], frôle des murs de nuages qui naissent de la mer et s'enfuient vers les constellations habitées par des dieux mythologiques, maîtres de ces lieux. Nous devons les amuser par nos effronteries et notre témérité alors que nous tentons, à notre mesure, de changer le cours de l'histoire. Les éclairs, telles des lucioles géantes, déchirent les nuages et révèlent des vallées où un calme sournois nous accueille pour aussitôt nous abandonner.

Les vallées disparaissent soudain pour laisser place à des montagnes aux pics courroucés et aux abîmes sans fin. Puis celles-ci s'enfuient dans les ténèbres sous notre avion qui file à 150 milles à l'heure. Plongés dans le noir, nous reprenons conscience du bruit des moteurs et des craquements du fuselage.

Assis dans mon poste de mitrailleur, je suis isolé. Je suis seul parcourant le ciel du regard dans une boule de verre fragile suspendue au-dessus du vide. Le silence total est rompu seulement par les voix de mes coéquipiers. Nous approchons doucement des côtes de la Sicile. Les nuages se dissipent peu à peu. Ils laissent place à d'autres dangers.

1. Bombardier bimoteur construit par la Vickers Armstrong Company. Plus de 11 000 bombardiers furent construits et servirent dans la RAF de 1939 à 1952.

— Chuck, nous approchons de Marsala !

— OK ! Al, sommes-nous à l'heure ?

— Oui, à l'heure et au cap.

Cet échange entre le pilote et le navigateur me rassure. Nous allons enfin quitter la mer pendant quelques minutes pour survoler la pointe ouest de la Sicile.

— Attention à tous ! Ici Chuck ! Nous survolerons la Sicile durant 15 minutes.

Les chasseurs ennemis, toujours en alerte, nous surveillent. Dans ma tourelle, je suis le seul homme armé. Je suis chargé de défendre le bombardier avec mes quatre mitrailleuses Browning [2]. En rafale, elles peuvent cracher 6 000 balles à la minute. Avec un manche à balai, je contrôle ces mitrailleuses ainsi que tous les mouvements de la tourelle. Pendant que l'équipage est témoin du progrès du bombardier vers la cible, je suis le *tail-end Charlie* [3] et ne verrai que les suites de l'action.

Je porte une salopette de vol en toile, des bottes de cuir, une ceinture de sauvetage appelée May West [4], un casque d'écoute et des harnais de parachute. Il n'y a pas assez de place dans la tourelle pour un parachute. Celui-ci est logé derrière moi, attaché au fuselage.

Je garde aussi sous la main une boîte de secours dite de Pandore. Elle contient des aliments concentrés, des médicaments et plusieurs autres produits pouvant m'aider à survivre pendant une semaine en territoire

2. Mitrailleuses conçues spécialement pour l'aviation. Celles-ci peuvent tirer jusqu'à 1 200 balles à la minute.

3. Nom donné au mitrailleur de la tourelle arrière.

4. Fait allusion à la poitrine généreuse d'une actrice américaine de l'époque.

ennemi. Telle la boîte de la déesse, elle constitue à la fois un présage d'espoir et de malheur. Si je l'ouvre, elle me sauvera peut-être ou m'entraînera à ma perte. Avant notre départ, on nous a remis les codes secrets lumineux pour communiquer avec les maquisards italiens. Tout aviateur qui doit sauter en pays ennemi a le devoir d'éviter d'être capturé. Il doit tout faire pour retourner vers les siens. Avec mon casque d'aviateur et mon revolver Smith & Wesson dans sa gaine, j'ai l'allure trompeuse d'un homme invincible. Je ne le sais que trop.

Depuis que nous avons survolé Palerme, nous suivons un cap de 45° nord-est vers l'aéroport de Capodichino, en banlieue de Naples. Des avions de Mussolini, escadrons et machines de guerre diverses y seraient garés d'après les renseignements des services secrets. De ma position, je voyage dans la noirceur des ténèbres. Parfois, à ma gauche, à la limite de ma vue, l'ombre de la terre ferme se dessine.

Le navigateur brise le silence et interpelle le pilote :

— Chuck, ici Al.

— J'écoute.

— Vois-tu le Vésuve ?

— Non, pas encore Al, répond Chuck.

Parfois, les Allemands allument des feux sur les hautes montagnes pour tenter de leurrer les navigateurs. La ruse ne prend pas toujours. Le Vésuve, entre autres, est un repère sûr.

Al finit par repérer ce volcan qui a détruit Pompéi en 79 av. J.-C. et a fait alors plus de dégât que nous en ferons jamais avec nos deux tonnes de bombes. Chuck, Al et Joe s'exclament en voyant le volcan. Je cherche dans la nuit, le pouce toujours sur la gâchette, les chasseurs qui viendront sûrement à notre rencontre. Puis, à 15 000 pieds d'altitude, suivant la côte, notre navigateur aidé du *bomb aimer*[5] trouve enfin la cible.

Je vois un, deux, trois avions... La tension monte en moi. Nerveux, je m'apprête à faire feu avant de réaliser que les avions qui m'inquiètent sont des Wellington appartenant aux escadrilles Snowy Owl, Tigers et Alouette qui participent avec nous à ce raid. Raymond Barry, l'ami de ma sœur, se trouve peut-être dans un de ces bombardiers sur lequel j'aurais pu faire feu.

Voici nos 40 bombardiers, chargés de 12 000 tonnes de bombes. Ils se préparent à les larguer. Sans contact radio, toutes lumières éteintes, naviguant au même cap et à la même altitude, les collisions sont fréquentes entre avions. Cette possibilité nous angoisse constamment.

Les faisceaux de lumière des batteries antiaériennes balaient puissamment le ciel. On nous cherche. Les grands canons antiaériens lancent dans le ciel leurs projectiles qui éclatent autour de nous. L'odeur de la cordite[6] nous prend à la gorge. C'est à ce moment qu'un bombardier est le plus vulnérable. Les balles traçantes des canonniers parcourent le ciel comme des étoiles filantes. Nous sommes traqués.

— Joe à Chuck.

— J'écoute.

— J'ai Capodichino en vue. Je garde le cap.

— D'accord.

5. Viseur de lance-bombes (*bomb aimer*) : membre d'équipage qui a pour mission de larguer les bombes. Il seconde le pilote.

6. Poudre à canon.

Le temps est long, l'impatience monte, mais la discipline reste maître à bord. La cible en vue, le viseur de lance-bombes a maintenant le contrôle total du vol. Il demande au pilote de garder le cap. Les secondes deviennent des minutes interminables. Nous sommes impatients de nous libérer de notre chargement destructeur. Après toutes ces heures de vol, nous sommes enfin arrivés au but. Le devoir et l'envie d'en finir au plus vite dominent nos peurs. Joe, le regard tendu entièrement vers la mire, commande l'ouverture des soutes et requiert de nouveau le silence.

— À gauche 2°, *steady, steady... steady.*

Le bombardier poursuit sa course, mais il semble immobilisé dans le ciel. Un silence de mort s'installe dans notre machine de guerre, par-dessous le bruit infernal des moteurs.

— *Steady... steady...* 3° gauche...

Bruit des respirations. Nous avalons tout l'oxygène du bord à force de soutenir cette terrible tension intérieure.

— *Steady...*

Les obus antiaériens explosent silencieusement près de nous, ne laissant dans les airs que de grandes taches noires que l'avion ne peut éviter. Tout à coup, un faisceau lumineux balaie notre appareil. La verrière de ma tourelle éclairée devient un miroir concave reflétant une image dantesque dont je fais partie.

— *Steady... steady...*

Joe, toujours le pouce sur la gâchette, regarde une dernière fois dans la mire et nous crie :

— *Bombs gone, Chuck, retract the doors*, garde le cap, je largue la fusée éclairante.

Les bombes culbutent alors les unes sur les autres vers la cible. Attachée à son parachute, la fusée éclairante activera la caméra. Nous devons avoir une photo de notre cible, preuve de la réussite de notre mission. Une lueur éblouissante apparaît sous l'avion. Le moment du retour est arrivé. Nos voix ne font qu'une :

— *Let's go home !* À la maison !

Al examine les constellations afin d'y lire les secrets des étoiles pour la route de retour. Je suis étonné par son savoir, qui fait de lui le membre de l'équipage le plus important. Aucun de nous ne peut le remplacer. Pendant qu'il scrute le firmament, consulte ses tables astronomiques, inscrit des chiffres sur sa règle Dalton[7], nous attendons avec impatience le résultat de ses efforts.

— Je sais où nous sommes ! Cap 180°, arrivée prévue 2 heures 43 minutes.

Ian, notre opérateur radio sans fil que nous appelons, toujours en anglais, le *wireless operator*[8], manipule les nombreux boutons de sa radio depuis notre départ. Il communique à notre base par TSF des messages codés. Il avise les nôtres de notre position et du temps d'arrivée.

La route du retour n'est pas sans risque non plus. Les orages ont beau s'être dissipés, la nuit sans lune semble sans fin. À 10 000 pieds d'altitude, je vois la baie de Naples pendant que nous quittons la côte amalfitaine pour gagner la mer. Les étoiles, bien dociles dans leurs constellations, conspirent avec le navigateur et son sextant pour nous ramener au plus vite sur le continent africain. Les moteurs chantent

7. Règle à calcul pour la navigation aérienne.
8. Opérateur radio (aussi appelé radiotélégraphiste ou sans-filiste).

sans cesse la même ritournelle et entraînent leurs grandes hélices de bois. Leur rotation crée une harmonique qui secoue vivement le fuselage toutes les 10 secondes, un peu comme un chien mouillé qui se secoue pour chasser les gouttelettes qui le gênent.

Coincé dans ma tourelle, je dois rester aux aguets. Je somnole, à cause de la fatigue et de la tension qui s'est quelque peu apaisée. Sensation trompeuse de bien-être. Mais dans cette nuit d'encre, comment l'ennemi pourrait-il bien nous repérer alors que nous nous voyons à peine nous-mêmes ?

Bientôt nous survolons Messina. À son approche, la tension revient, mais elle s'estompe alors que le bruit des moteurs et les vibrations se fusionnent en un rythme ennuyeux qui invite au sommeil. Je ne peux plus garder mes paupières ouvertes. Une douce paix silencieuse m'envahit. Me voilà qui dort. Ma tête, légère comme une plume, se détache de mon corps et plane au-dessus de moi. La voilà qui me fixe droit dans les yeux et m'appelle :

— Gilles ! Gilles ! *Tail-end Charlie !*

Quel choc ! Quel réveil ! Agité, confus, je saisis le manche du contrôle des mitrailleuses et je cherche partout un je-ne-sais-quoi qui surgirait de nulle part dans la nuit. Le bruit est si intense que je chavire. Petit à petit, la raison renaît et chasse l'effroi.

— Chuck, ici Gilles !

— Gilles, que se passe-t-il ? Il y a un bon moment que je t'appelle. J'allais envoyer Ian te rendre visite...

Au loin, je vois la Sicile et à ma gauche l'île de Pantelleria. À l'est, le Moyen-Orient s'éveille. Au nord-est, il y a les Balkans, à l'ouest la péninsule Ibérique. J'imagine l'océan Atlantique, le Canada et, surtout, Montmagny. Ici, je connais mal la géographie et ignore tout des peuples qui vivent en ces lieux.

J'ai 20 ans. Des études modestes : 12 ans de scolarité, une année d'études techniques. Je ne sais rien des mœurs, des religions ou de l'histoire du monde. Pourtant, je survole la planète depuis des mois. Il faudra faire vite pour apprendre.

Je suis cantonné en Tunisie depuis exactement quatre mois. Du pays, je ne connais pas grand-chose, si ce n'est que c'était une colonie française. Il y a quelques mois, elle était occupée par les Allemands et les Italiens. Elle est redevenue une colonie française, mais occupée par les Américains, les Anglais et quelques Canadiens. Le sort du monde bascule sans cesse.

Nous volons. Je vole. J'appartiens à un corps de l'armée qui, depuis la Première Guerre mondiale, a changé le cours des guerres. Au-dessous de nous se trouve la glorieuse île de Malte. Elle résiste toujours aux attaques.

— Chuck, tu vois à ta droite, Pantelleria ?

Cette île italienne, perdue, n'avait pour occupants que des canons et quelques soldats. Ils se sont rendus après des jours et des jours de bombardement.

Endormies, Carthage et Tunis ne semblent veillées que par de faibles lumières dispersées ici et là. Il n'y a plus de danger. La mission est complétée. Les Allemands ont abandonné la péninsule du cap Bon et quitté le sol africain sous le regard indifférent des Tunisiens, témoins de leur défaite en terre maghrébine. Ils ont abandonné à tout jamais l'espoir de ravir le Moyen-Orient et les puits de pétrole de l'Angleterre. Nous voilà en sécurité. Dans une demi-heure, nous serons à Pavillier. Je sens déjà le bonheur de goûter au déjeuner que le cuisinier nous prépare. Aurons-nous du pain, cette fois, ou de la galette et des œufs en poudre ? Qu'importe, j'ai faim ! Pendant le déjeuner la chaleur reviendra.

— *Base KW, this is Wellington KW Baker*[9], *do you read ?*

— *KW Baker, this is base. We read you loud and clear.*

D'autres bombardiers donnent leur position aux contrôleurs. On sent beaucoup de nervosité dans les communications.

Au sol, c'est le brouillard. Chuck demande des précisions et on lui répond que nous sommes en douzième place pour l'atterrissage. Encore à 3 000 pieds d'altitude, nous survolons la région. Parfois, nous entrapercevons quelques fanaux à l'huile délimitant l'aire d'atterrissage.

Chuck dirige l'avion vers la piste qui apparaît et disparaît dans le brouillard. Les communications se font plus rapprochées. De ma tourelle, je perçois de l'inquiétude dans les échanges entre les contrôleurs et notre pilote. Chuck vire au cap que lui indique le contrôleur et amorce sa descente. Volets et roues abaissés, l'avion se dirige vers le sol à l'aide des instruments de vol.

— Contrôle ! Je ne vois plus les lampes !

— Votre altitude ?

— 1 000 pieds.

— Votre vitesse ?

— 120 milles à l'heure.

L'atterrissage sera rude. Je me cramponne aux mitrailleuses. La tourelle est à 80° N[10], nous descendons toujours, le pilote met les gaz et les moteurs

9. *Baker* : Code phonétique représentant la lettre B.

10. Le mitrailleur arrière doit tourner l'habitacle des mitrailleuses à un angle de 80° par rapport au fuselage au

rugissent, nous penchons à gauche, puis à droite et le pilote crie :

— Je ne vois plus rien, il faut remonter.

À ce moment l'avion frappe le sol, rebondit puis le retouche enfin. Bien qu'agrippé aux mitrailleuses, je suis projeté avec violence dans toutes les directions. Notre Wellington continue sa course, mais sur le ventre, dans un concert de bruits intenses, soulevant sur son passage des nuages de poussière qui se confondent avec la brume. La violence des secousses répétées me fait lâcher prise et je suis projeté contre les parois de la tourelle. La terreur s'empare de moi. Je vais mourir. Je le sais. Je le sens. J'entends mes cris s'élever au-dessus du vacarme pendant que l'avion fonce vers sa destruction finale. Seul le destin est désormais maître à bord.

Je n'entends plus les moteurs. L'avion progresse comme un serpent, ondulant de gauche à droite. Je cherche désespérément un appui. Dans un dernier élan, le Wellington capitule, se plie, se tord et un violent contrecoup m'expulse de mon habitacle et me projette dans le vide. Roulant, culbutant sur moi-même dix fois, la folle embardée me laisse debout, meurtri, confus, abattu et seul dans le brouillard.

Plus un bruit. Rien. Suis-je devenu sourd ? Suis-je tout simplement mort ? Je suis passé de la vie à la mort et celle-ci est donc silencieuse... Lentement, je reviens à moi, je reprends mes sens. J'entends battre mon cœur très fort. J'ai les pieds froids. Je n'ai plus de bottes. Elles ont disparu. Je me tâte. J'ai mes bras, mes jambes. Au moins, tout ce qui compte est là.

moment de l'atterrissage pour permettre une éventuelle évacuation d'urgence.

Au loin, un bruit répétitif et insolite attire l'oreille : psst ! psst ! psst ! comme le cri d'un serpent dressé et en alerte. La brume laisse deviner une forme, une ombre, un spectre. C'est notre avion écrasé, tout tordu, vêtu d'un manteau de brouillard et de poussière et qui semble gémir sur son sort. Une toute petite lueur, douce et orangée, embellit la brume.

Je m'avance vers la carlingue disloquée. J'aperçois ma tourelle quasi détachée du fuselage, les mitrailleuses pointées vers le ciel comme si elles le suppliaient. Je touche à une aile et m'approche du lieu d'où vient ce bruit répétitif. Un feu, tout petit, a pris naissance. Il est alimenté par des gouttelettes d'huile qui fuient d'un moteur. À chaque fois, elles prennent feu. Nous avons de la chance : les Wellington sont recouverts de toile et flambent d'ordinaire comme de la paille sèche lors d'un écrasement. Mais à chaque nouvelle fuite d'huile, le scintillement de ce début d'incendie se fait plus intense.

D'une voix étranglée, j'appelle mes compagnons par leurs noms. Je crie. Je crie. Aucune réponse. Je m'approche d'un moteur. Mes coéquipiers sont sûrement tous sortis de cette carcasse. Pourquoi ne répondent-ils pas à mes cris ? La lumière du feu se reflète dans la verrière. Je grimpe sur l'aile. Je me dirige vers la cabine et crie à nouveau. Par le pare-brise, j'aperçois d'abord Chuck, la tête appuyée sur les commandes. Joe que je vois ensuite a les mains sur son visage.

Je n'arrive pas à ouvrir les volets malgré mes efforts. Ils sont verrouillés de l'intérieur. Toujours pieds nus, à coups de talons, je frappe la petite fenêtre du pare-brise en Perspex [II] qui cède peu à peu. J'arrive à faufiler ma main à l'intérieur. Le verrou saute et j'arrive enfin à tirer le volet. Personne ne bouge à l'intérieur. M'appuyant sur les épaules de Joe, qui est parfaitement inconscient, je me glisse dans le fuselage et cherche les autres. Je répète en criant : « *Get out! Get out!* » Mais je n'obtiens aucune réponse.

Je pénètre plus avant dans le fuselage. Ma voix étranglée par les larmes ne doit pas porter. Je dois les réveiller, les sortir, obtenir de l'aide... Pourquoi diable personne ne vient-il à notre secours ? Que font-ils ?

Le *Very Pistol*, le lance-fusées d'urgence... oui, oui, vite ! Le pistolet est attaché au fuselage, juste derrière Joe. J'ai vite fait de le trouver, ainsi que toutes les fusées. Je sors de la cabine et, debout sur la carlingue, je charge le pistolet. Quelles sont les fusées de secours ? Qu'importe, je charge, pointe l'arme vers le ciel et fais feu. Une fusée verte et blanche s'en échappe, illuminant le brouillard. Sa lumière douce éclaire le visage de Chuck, tourné vers moi.

Joe, la tête penchée vers le plancher, est retenu à son siège par son harnais. Une nouvelle fusée, cette fois-ci rouge, fait un arc dans le ciel. La poussière et le brouillard reflètent une lumière rose. Les fusées illuminent la catastrophe. Entre mes cris et les explosions des fusées, j'entends le sifflement du feu qui crépite désormais sous le moteur.

Je n'ai plus peur. Je ne pense qu'à sortir mes compagnons de là. À la lueur des fusées, je vois la masse tordue de notre bombardier. La toile déchirée

II. Matériau plastique dont est faite la verrière des avions de l'époque.

révèle le squelette de cet appareil monstre. Un moteur s'est détaché d'une aile et gît sans hélice. Le gouvernail vertical repose sur le sol. Je réalise soudain qu'une partie de l'hélice de bois a transpercé le corps de Chuck. Une éclisse de bois l'a cloué sur son siège. Je n'en peux plus... Je charge et recharge le pistolet et lance dans le brouillard des fusées multicolores qui donnent presque un air de fête à cette tragédie. Puis je retourne dans le fuselage et m'avance davantage, à la recherche d'Al et de Ian. À tâtons, je les retrouve au son de leurs gémissements. Leurs propos sont incohérents. En vitesse, je détache leurs harnais et je répète sans cesse :

— *Al, Ian, we have crashed! Get out, there is a fire! Follow me!*

Je les aide à franchir les corps inanimés de Chuck et de Joe. Nous sortons de la cabine et tombons sur le sol en désordre, les uns sur les autres.

Les fusées ont enfin attiré les véhicules de secours. Les ambulanciers, les pompiers et quelques compagnons de la base s'occupent de contenir le feu. Il y a des phares partout. Les émotions m'étouffent. Je sanglote. Je suis épuisé. On me guide vers l'ambulance. Quelqu'un me questionne. Je le regarde, mais sans le voir. Il demande si j'ai mal. À l'aide d'une lampe de poche, on cherche, on palpe mon corps sans trouver de blessures. Un infirmier m'installe sur la civière et me ramène à la base, puis me laisse enfin dans ma tente. Je suis mort de fatigue, mais je n'ai pas sommeil. Le soleil se lève. Cette nuit noir de l'enfer s'ouvre sur le calme du jour. Ma tête bourdonne encore des vacarmes de l'écrasement. Peu à peu, j'arrive à me calmer et les bruits terribles, si présents dans ma tête, s'estompent quelque peu. Réfugié seul au fond de la tente, je déploie finalement la moustiquaire et m'étend sur la natte de palmier avant de fermer les yeux.

Le sommeil arrive difficilement. J'entends des pas, j'entrouvre les paupières et vois une silhouette déposer mes bottes près de la tente. Puis lentement l'horreur fait place à mes souvenirs d'enfance, et Morphée m'entraîne avec lui au pays des songes d'une alouette affolée…

CHAPITRE 2

DAURAY

LA RUE SAINTE-MARIE, couverte de neige, a été grattée et regrattée et puis roulée par les chevaux et l'équipement de M. Corriveau. Depuis tôt le matin, ses bêtes tirent sans répit grattes et rouleaux. Il est bien rare que notre petite rue reçoive autant d'attention de la part de la municipalité. Il y a tellement de neige que celle-ci a envahi la galerie qui entoure notre maison. Elle obstrue les fenêtres. Depuis trois jours, il y a chez nous un va-et-vient incessant. M. Amédée Langlois amène les visiteurs en taxi-carriole de la gare du Canadien National jusqu'à notre maison, située au numéro 21. Les clochettes attachées aux harnais du cheval carillonnent des « gare à vous » plutôt joyeux. Mais cette circulation exceptionnelle annonce le pire malheur.

Maman est morte dimanche, le 6 mars 1932. Aujourd'hui ont lieu ses funérailles.

Ma mère Dauray, mon père Émile et leurs 10 enfants, de même que mon grand-père, le capitaine Elzéar, habitaient en des jours heureux cette grande maison de trois étages ornée d'une tourelle qui lui donnait une vague allure de château fort médiéval. Aux abords de la ville, la maison faisait face aux champs maraîchers de M. Napoléon Dionne. Nous étions en pleine nature, nature qui nous vivifiait et nous fortifiait tout au long des vacances.

Ici, les fermes entrecoupées de clôtures de cèdre s'étendaient jusqu'au fleuve si large que seules les montagnes de Charlevoix semblaient capables de l'empêcher de devenir océan. Un sentier, pavoisé de fleurs sauvages, serpentait à travers les champs et conduisait les enfants vers un monde à eux. Des fruits sauvages – gadelles, fraises, mûres, bleuets – abondaient toujours en bordure des clôtures de cèdre. De chaque côté du sentier, des cerisiers sauvages offraient des fruits surs et rêches que nous appréciions. Notre sentier terminait sa course dans un bosquet d'arbres géants qui cachaient un cimetière et un charnier abandonnés depuis très longtemps. Ce refuge végétal à l'allure de forteresse était comme notre deuxième maison. Il invitait notre enfance à l'assiéger dans une suite de jeux joyeux. Là, les branches longues et flexibles des saules pleureurs nous servaient de lianes pour atteindre le faîte des érables, peupliers, cormiers, cerisiers, pommiers sauvages et autres arbres qui se disputaient dans cet espace la gloire d'accueillir le soleil autant que la pluie. On y trouvait quelques chênes. En septembre, au temps de la récolte des glands, les écureuils nous menaçaient mais sans succès de leurs cris stridents et saccadés. Ils voulaient nous éloigner de leur immense garde-manger.

Tout n'était que jeu. Les portes d'acier du vieux charnier nous inquiétaient... Ce lugubre bâtiment aux pierres humides inventait pour nous, au moindre bruit, des échos qui venaient naturellement des entrailles de l'Enfer. Au milieu du plancher, une trappe donnait accès à un espace qui logeait quatre tombes métalliques. Une eau noire et nauséabonde s'était infiltrée. Lieu rituel pour dresser toutes nos peurs, le charnier servait d'initiation aux dangers de toutes sortes.

Tout près de là, la rivière des Vases. À marée basse, c'était un joli et inoffensif ruisseau. Elle se transformait, à marée haute, en un dangereux cours d'eau. En tout temps, nous y trouvions poissons et écrevisses. Nous remontions à sa source, la rivière du Sud, dont les eaux faisaient tourner la grande roue du moulin du meunier Francœur. C'étaient les grandes cloches de l'église Saint-Thomas qui, en sonnant l'angélus, annonçaient notre retour inévitable à la maison.

Maman est au lit. Malade. Elle s'y trouve depuis une semaine. Denis, le cadet, a 21 mois et Robert, l'aîné, a 17 ans. Bientôt un autre enfant sera avec nous. Nous nous faisons du souci parce que le docteur Richard ne cesse de revenir à la maison et que les adultes se contentent d'éluder nos questions. Une infirmière reste de longues heures dans la chambre de Maman. Papa reste à la maison. Ce n'est pas normal. À voix feutrée, grand-père Elzéar interroge souvent Papa. Je sens le danger. Que se passe-t-il ?

Tante Effée et tante Laure, les sœurs de Maman, sont arrivées de Rivière-Blanche depuis plusieurs jours. Elles caressent sans cesse les petits que nous sommes et nous étreignent sur leurs généreuses poitrines, tante Effée répétant avec son accent acadien :

— Pauvres enfants, pauvres enfants...

La maison est pleine et grouillante de vie, mais nous sentons la mort. La bonne prépare les repas. Mes grandes sœurs Marguerite et Magdeleine s'occupent de plus en plus de nous. Clément et moi, nous nous réfugions plus souvent dans notre chambre au troisième étage tout près de la tourelle. Margot, qui a 16 ans, nous prend près d'elle et nous dit que Maman est très malade, que Papa s'inquiète beaucoup. Elle nous demande d'être sages et de revenir sans tarder de l'école. Le va-et-vient est constant.

— Margot, qu'est-ce que ça veut dire, tous ces gens qui nous visitent ?

— Gilles, Maman est très malade, me dit-elle.

— Elle n'est pas malade, elle va avoir un autre bébé !

— Maman a perdu le bébé, Gilles. Ça lui fait mal. Le bébé est mort en naissant et Maman a beaucoup de peine. C'est pourquoi l'infirmière est avec elle.

— Pourquoi tante Effée et tante Laure sont-elles avec Maman tout le temps ?

— Ce sont ses sœurs et elles l'aiment bien.

— Leurs enfants doivent être inquiets ? que je demande encore.

— Non, me dit Margot, elles ne sont pas mariées, elles n'ont pas d'enfants...

Je sens que Margot ne me dit pas tout ce qu'elle sait. Et je veux voir Maman. L'infirmière m'empêche d'entrer dans la chambre.

— Laissez entrer Gilles, dit Maman.

— Maman, vous n'avez plus le bébé ?

— Non, Gilles, il est mort. Il est au ciel, avec les anges.

Je vois le moïse vide près du lit de Maman. Elle l'avait si bien préparé pour accueillir cet enfant.

— Pourquoi restez-vous au lit, Maman ?

— Je suis si fatiguée, me dit-elle.

L'infirmière me fait sortir de la chambre tout ensoleillée. Pendant deux jours, la mort continue de rôder autour de la maison. Sournoise, elle fait son chemin jusqu'auprès de Maman. Elle connaît bien ce lieu pour avoir volé déjà deux autres enfants à Dauray.

Voilà Papa, Grand-père, le prêtre et tant d'autres personnes présents auprès de maman. Agenouillé, la tête posée près d'elle, je sens sa main glisser doucement contre moi. J'entends le murmure des prières et les incantations latines du prêtre. Les paroles prononcées s'agglutinent dans ma tête et ne forment plus pour moi qu'une sorte de bruit de fond saccadé.

— Viens Gilles, me dit Papa.

Il prend ma main pendant que je m'étouffe dans mes sanglots. Il est 8 heures du soir. Nous sommes dimanche. Maman est morte. Elle avait 37 ans. Nous sommes maintenant 10 orphelins, 10, car Rolland, né sourd, muet et aveugle en 1919, vit dans un hospice des Sœurs grises à Baie-Saint-Paul.

Pendant trois jours, parents, amis et de nombreux habitants de la région défilent devant le corps exposé à la maison, dans le grand salon du rez-de-chaussée. Nous gardons le corps à la maison comme le veut la tradition. Nuits et jours, nous entendons le chuchotement des prières. Les discussions vont cependant parfois bon train et la nourriture, abondante, rassasie les visiteurs. Plusieurs personnes sont venues de Montréal, de Québec et du Bas-du-Fleuve. Elles sont arrivées par train, seul moyen de transport l'hiver.

Le matin du service religieux, le grand corbillard glissant sur ses patins, tout noir et tiré par des chevaux noirs, s'arrête devant la maison. Les chevaux, attelés de harnais en cuir noir, sont calmes. Une foule nombreuse occupe la rue Sainte-Marie. À la maison, les plus petits sont gardés par des parents. Grand-père, Papa et tous les hommes de la famille marchent à l'arrière du corbillard. Les femmes et les enfants les suivent, mais dans des carrioles. D'un air sombre et austère, le croque-mort, M. Dubé, met le cortège en route pour l'église Saint-Thomas.

L'église Saint-Thomas est enrubannée de banderoles noires. La cérémonie a beau être empreinte d'une grande tristesse, nos esprits d'enfants ne peuvent soutenir l'attention pendant que se déroule le rite funèbre. Je n'ai que huit ans et je veux voir ma mère. Je veux ma mère.

Le service terminé, un cortège de quelques personnes seulement se dirige vers le cimetière situé à quelques milles de la ville. Le corps de maman sera gardé dans le charnier jusqu'au printemps. En cette saison, les fossoyeurs ne peuvent creuser la terre gelée.

Une fois toute la parenté partie et le brouhaha disparu, la maison redevient lentement nôtre. Mais désormais sans maman.

Papa a 43 ans. Le voilà veuf. Seul avec 10 enfants à charge. La responsabilité est lourde. Tante Antoinette, la sœur aînée de ma mère, insiste auprès de lui pour que Marcel, âgé de trois ans seulement, aille vivre chez elle dans la Gaspésie. Il accepte, mais avec beaucoup de chagrin. Marcel sera absent de la maison durant cinq ans. Son retour créera une gêne, vite dissipée toutefois, et la vie commune reprendra son rythme.

À 16 ans, Margot devient une maman provisoire. Papa lui confie la garde des petits. Notre château fort est à nouveau rempli de joies tapageuses et de bruits incessants. La tourelle sera, encore et encore, le refuge de notre imagination sans bornes. Au loin, sur le fleuve, les grands navires voguent de port en port en direction des vieux pays d'Europe.

La terrible crise financière qui a d'abord secoué New York frappe même au bord du grand fleuve. C'est la Crise. Tout le monde en souffre. Papa a une grande famille à nourrir, mais nous ne manquons pourtant de rien. Sa profession de registraire du comté judiciaire de Montmagny lui assure des revenus bien modestes, mais suffisants. Papa a ses bureaux au palais de justice dans lequel se trouve l'imposante prison. Parfois, nous allons le visiter. Il nous montre les gros livres dans lesquels il transcrit à la main les documents affranchis de gros timbres de taxation colorés qui les rendent si importants à nos yeux. Comme il est aussi président de la Société Saint-Vincent-de-Paul, dédiée à l'aide aux gens peu fortunés, il y a toujours du monde à la maison.

Pour aider un peu aux travaux ménagers, nous avons une bonne à la maison. Parfois deux. Elles viennent du milieu rural et reçoivent en salaire quelques dollars, en plus du logement et de la nourriture que Papa leur fournit. Depuis la mort de Maman, Mlle Anita Létourneau, la couturière, vient durant nos après-midi de congé. Elle est d'une habileté incomparable pour transformer les vêtements des plus âgés afin qu'ils aillent aux plus jeunes... Comme une fée, elle mesure, coupe, et pose dentelles et boutons. Comme par magie, nous devenons tous beaux dans ces robes, jupes, habits, pantalons, sous-vêtements, manteaux d'hiver et d'été. La vie continue.

CHAPITRE 3

L'ENFANCE ET LE CAPITAINE

La vie sans Maman a repris. Une nouvelle cadence règle notre quotidien et le chagrin s'estompe. Robert travaille pour l'oncle Raoul. Il fait partie du monde des adultes. Margot et Madelon nous ont pris en charge. Elles sont étudiantes au couvent de Montmagny, dirigé par les religieuses de la congrégation de Notre-Dame.

Papa prodigue des soins constants aux arbres fruitiers et au potager. Au temps des récoltes, nous allons enfouir les pommes McIntosh, Alexandre et Lobo dans le sable sous le poulailler de l'oncle Elzéar. Les légumes, eux, finissent dans la cave de la grande maison pour l'hiver.

Mon père a engagé une lutte à finir contre le nordet venant du fleuve, qui menace ses rosiers importés de la pépinière Perron de Montréal. Papa aime les fleurs. Il y en a partout autour de la maison, ce qui réduit d'autant notre espace de jeu. Qu'importe, parce que la rue Sainte-Marie tout entière est à nous !

— Gilles, Clément, dit Grand-père, demain à la marée montante, nous irons à la pêche.

Des mots magiques ! Avec Grand-père, tout est simple. Il nous commande d'une voix forte et sévère.

Vieux marin au long cours à la retraite, il s'est échoué chez son fils cadet Émile, mon père.

Tous les jours, il va au quai du bassin de Montmagny pour y renifler la mer et porter son regard vers le large. Parfois Clément et moi l'accompagnons dans sa ronde qui nous amène chez les oncles et les tantes. Son fils Raoul demeure près d'un quai qu'il a construit au pied des chutes de la Rivière-du-Sud. Tour à tour, il fait de courtes visites à ses filles Marie-Louise, Alice, Mina et Alida.

Les marées n'ont pas de secret pour Grand-père. Il sait tout de la mer et de ses courants. Dans une grande barque équipée de rames géantes et d'une petite voile, nous quittons le quai à contre-courant pour sortir du bassin. « Gilles, tu seras le capitaine. Clément fera le mousse. Tiens bien le cap ! » me dit-il.

Avec toute la force de mes bras, je tiens le gouvernail pendant que Grand-père hisse la voile. Sortis du bassin, la marée montante prend notre chaloupe en charge et nous remontons le fleuve sans peine. « Allons, matelots, jetez l'ancre ! »

Sitôt commandé, sitôt fait. Pendant des heures, nous pêchons le bar à la ligne morte pendant que la chaloupe tire sur son ancre. Le poisson a disparu du fleuve depuis. On ne le trouve plus que dans les mers du Sud ou alors dans un vieux documentaire de l'abbé Maurice Proulx, tout empreint de religion. Beaucoup de la magie passée du fleuve s'en est allée.

La pêche n'est jamais miraculeuse. Après des heures, la chaloupe toujours ancrée pointe sa proue vers Québec alors que le fleuve repart vers le golfe. Grand-père hisse la voile et deux heures plus tard, nous sommes de retour au bassin et au quai avec nos prises. Plusieurs fois, nous voyons de grands navires glisser près de nous, accompagnés du son rythmé de leurs moteurs.

Clément a sept ans. Moi, j'en ai huit. Papa nous avait dit que mon capitaine de grand-père avait navigué sur les océans de la terre. Il avait déjà fait avec lui du cabotage sur le fleuve durant les vacances scolaires. C'était d'ailleurs comme ça que mon père avait rencontré Maman à Rivière-Blanche, alors qu'il livrait des marchandises à l'hôtelier Thomas Lepage, le père de Maman. Tout petits que nous sommes, à la pensée de toutes les mers contenues dans l'au-delà des horizons, nous rêvons d'aventures.

Le bruit d'un moteur d'avion interrompt parfois nos jeux et nous fait lever les yeux vers le ciel. Un jour, en un rien de temps, un biplan vire au-dessus de nous et se pose tout près, dans un simple champ. Par-dessus les clôtures, les haies et les rigoles, nous courons de toutes nos forces avec nos compagnons à la rencontre de cette merveille venue du ciel. Le pilote stoppe le moteur. Il enlève son casque d'aviateur. Il veut de l'eau. Le radiateur de son moteur laisse échapper des nuages de vapeur en sifflant...

Les ailes de cette incroyable machine de toile sont retenues au fuselage par de simples fils métalliques. Son hélice est de bois et le cockpit à ciel ouvert lui donne une allure un peu insolente face au ciel immense. Cet avion bleu et rouge, pourtant tout simple, fait immédiatement ma conquête. Quelle vision merveilleuse !

J'effleure de mes mains les ailes, l'élévateur et le gouvernail tandis que les plus grands apportent de l'eau pour l'appareil. Quelques minutes plus tard, tout ébahi, je vois l'avion s'envoler avec fracas dans un ciel clair d'été parsemé de joyeux cumulus. Mon cœur est conquis. Pendant des jours, je ne pense plus qu'à cet avion coloré. Je revois son hélice et j'entends encore dans ma tête le bruit du moteur. Il m'entraîne dans le rêve.

Plusieurs mois se sont écoulés depuis cet événement heureux lorsque les airs m'apportent une nouvelle surprise :

— Papa, regarde là-bas dans le ciel, on dirait un gros avion !

— Ce n'est pas un avion ! C'est un dirigeable, le R-100[1] dont on parle tellement à la radio. Il arrive d'Angleterre.

L'immense ballon en forme de gros cigare argenté dérive lentement vers le cap Saint-Ignace. Il est totalement silencieux et semble à peu près immobile même s'il progresse au gré du vent. Mon père nous amène au cap le voir de plus près. Nous nous empilons les uns sur les autres sur le siège arrière de la Chrysler. Grand-père occupe le siège avant. Nous roulons, joyeux.

Le dirigeable dérive vers nous. Nous entendons des voix venant du monstre, puis nous voyons les ouvriers affairés. Ils réparent une déchirure de l'entoilage du gouvernail. Ils ne semblent pas du tout conscients des dangers pourtant évidents.

Vers la fin de l'après-midi, les moteurs du dirigeable se remettent en marche et, très doucement, ce monument du ciel cesse de dériver pour prendre un cap vers la ville de Québec, puis en direction de l'aéroport de Saint-Hubert. Pourrions-nous voyager

1. Dirigeable anglais à quatre moteurs diesels gonflé à l'hydrogène. Dimensions : 709 pieds de longueur et 130 pieds de diamètre. Il traversa l'Atlantique en juillet 1930 en 72 heures.

nous aussi un jour à bord d'un pareil engin, comme les Allemands pouvaient le faire ? Le dirigeable anglais fut déclaré dangereux. Il fut cloué au sol pour de bon en 1931.

Quelques années plus tard, en novembre 1933, Grand-père meurt d'une pneumonie. Le vieux capitaine avait 88 ans.

Mon enfance coule, heureuse et empreinte d'une certaine candeur malgré des malheurs. Pour adoucir ses tâches, Papa nous a mis en demi-pension au collège. Clément et moi couchons là, mais nous prenons nos repas à la maison. L'hiver 1936 est particulièrement rigoureux. Il y a tellement de neige que nous arrivons à peine à dégager la patinoire de l'école. Maman n'est plus depuis déjà six ans.

Un jour, le 27 janvier 1936, un compagnon de classe me dit à l'école que mon père vient de se remarier. Qu'est-ce que c'est que cette histoire ? Confus, inquiet, je proteste avec véhémence.

— Ce n'est pas vrai, Albert, il me l'aurait dit ! Tu es un menteur !

— C'est vrai, mon père m'a dit que le tien s'est remarié à Gabrielle Thibault.

Albert continue à répéter la même histoire, tout à fait sûr de lui. J'ai honte. Si c'est vrai, pourquoi Papa ne me l'a-t-il pas annoncé ? Je l'ai vu ce matin encore au déjeuner. Pas un mot. Je lui en veux. Je ne comprends pas ce qui arrive. Je ne veux tout simplement plus rentrer à la maison. Est-ce que mes frères et sœurs le savent ? Je suis vraiment dans tous mes états.

Mon père s'est bel et bien remarié sans prendre la peine de me le dire. Le lendemain, Gabrielle Thibault est là, au déjeuner. Papa nous dit que cette femme, que nous appelons tante Gaby, restera désormais avec nous. Je suis malheureux. Jamais elle ne sera ma mère ! Nous n'avons pas besoin d'elle. Je rage. Mais je ne dis rien.

Cette femme est belle et élégante, mais bien exigeante. Elle nous reprend sans cesse. Elle tente de corriger notre posture à table, notre langage et mille autres choses. Papa, lui, n'intervient jamais. Je ne suis plus à l'aise avec lui, car il ne s'est pas confié à moi avant de prendre cette décision qui nous concerne aussi.

Mes études au collège des Frères du Sacré-Cœur de Montmagny se poursuivent tant bien que mal. J'ai 15 ans. Alors que mon ami Édouard Jean réussit sans efforts à l'école, je travaille d'arrache-pied pour y arriver. J'ai l'esprit ailleurs. Très souvent, je rêve aux vacances autant qu'aux filles...

Le couvent des Sœurs de la congrégation de Notre-Dame est tout près de notre collège. L'élégant édifice de trois étages, tout en pierres des champs, est chapeauté d'un toit normand. L'édifice offre un contraste étonnant avec la laideur incroyable de notre collège. Une haute clôture métallique digne d'une prison délimite notre cour de récréation. Celle du couvent, dominée par des chênes géants, est bordée de chèvrefeuilles...

Le printemps venu, une frénésie indomptable s'empare de nous. Nous faisons tout, absolument tout, pour attirer l'attention des filles ! Des billets glissés dans les missels à l'église ou des messages livrés par le frère d'une belle atteignent parfois leurs destinataires. Les rencontres les plus réussies ont lieu le midi chez le marchand Michon ou au magasin des demoiselles Bélanger, au coin des rues Saint-Thomas et Saint-Louis. Les lunes de miel, ces petits bonbons doux, y sont à deux pour un sou.

Le soleil chaud du printemps nous éveille à la vie. L'arrivée des oies blanches et leurs caquetages remplissent l'air d'une incroyable énergie. Nos propos sur les filles ne sont que des fanfaronnades. Ils démontrent notre totale ignorance de la vie. Mais pourquoi les filles nous troublent-elles soudain tant et si bien ?

En fin d'année, à l'heure de la distribution des prix, le directeur s'adresse à nous. Parents, amis et étudiants sont conviés dans la salle du collège pour assister à cette parade traditionnelle des finissants. Il y a une excitation palpable chez les étudiants et une appréhension tangible chez les parents. Dans la liste des prix, on trouve invariablement des crucifix, des chapelets, des biographies édifiantes de saints et de saintes, des recueils de *La bonne chanson* ou encore le récit de la grande aventure patriotique de Dollard des Ormeaux.

— Gilles, je vois que tu n'as pas tellement de prix.

— Non, Margot, mais j'ai de bonnes notes quand même.

— C'est toi qui le dis !

— J'ai passé avec 63 % !

— Clément a fait mieux que toi...

— C'est juste plus facile dans sa classe ! Laisse faire, Margot, les vacances sont là. Enfin !

Libéré des soucis, j'entrevois déjà d'enivrantes aventures. La rivière du Sud, le bras Saint-Nicolas, les chutes, le bassin, le fleuve, le lac Isidore et les plages de Berthier ! Tout cela s'offre à moi comme un terrain de jeu sans limites. Et il y aura les filles !

Durant la saison des vacances, nous allons passer parfois deux ou trois semaines au lac Isidore, un tout petit lac caché dans la forêt des monts Notre-Dame près de Saint-Cyrille, dans le comté de l'Islet.

Papa pratique la pêche à la mouche. Il s'efforce de m'enseigner cette technique, mais les résultats sont plutôt médiocres. Clément, de son côté, est très habile. Il semble attraper toutes les truites qu'il veut... Personnellement, j'aime mieux la natation, le canotage, la voile, les excursions et, surtout, la compagnie des filles !

L'été, Papa m'enseigne patiemment l'art de construire un cerf-volant. La colle est faite de farine et d'eau, la toile est un papier brun assez fort qui, avec de la ficelle blanche, sert d'emballage au boucher. Quelques bouts de bois légers constituent la structure. En un rien de temps, je livre mes chefs-d'œuvre aux vents. Je deviens assez habile et mes constructions sont de plus en plus complexes.

J'attends le moment propice pour les lancer. J'ai besoin d'un vent fort et stable. Un vent d'ouest. Un après-midi de juillet, je construis un nouveau cerf-volant plus grand que les autres. Lorsque le vent s'élève enfin, il m'entraîne autant que mon ouvrage fragile dans une aventure à laquelle je ne m'attendais pas du tout.

La petite route de nos excursions m'amène dans les grands champs des religieuses, en bordure du fleuve. Loin de tout obstacle, je peux y faire voler mon grand cerf-volant sans crainte. Il monte rapidement et j'ai peine à le retenir. Il demande sa liberté, s'élançant à gauche et à droite, retrouvant l'équilibre à l'aide de sa grande queue colorée. Je lui laisse de plus en plus de corde. Il semble plus heureux. Satisfait de mon œuvre, j'attache le cerf-volant à un poteau de clôture, mais il tente toujours de fuir en balayant le ciel. Ne sait-il pas que si je le libère, il court à sa perte ? Je m'assois dans l'herbe afin de savourer mon exploit, tranquille. Une voix brise soudain ma bulle.

— Qu'il est beau ton cerf-volant !

Je suis surpris. À fixer le ciel, je n'avais pas vu Jeanne s'approcher.

— C'est moi qui l'ai fait.

— Je sais ! Je te regarde le faire depuis un bon moment.

Jeanne s'assoit près de moi et fait la causette. Elle a deux ans de plus que moi. Elle est jolie, brune, grande. Elle porte une robe fleurie légère. Ses longs cheveux sont noués ensemble à la nuque par un ruban rouge.

— Tu aimes ma robe ? Quand je passe près de toi, tu me suis des yeux...

Je rougis et j'admets que c'est vrai.

— Tu es belle...

— Tu voudrais voir mes seins ?

Avant que je n'aie le temps de dire un seul mot, elle ouvre son corsage.

— Regarde. Tu n'as pas encore touché à une fille ?

Je rougis. Ça semble lui plaire beaucoup.

— Tu ne connais rien alors ? Je vais te montrer.

Déboutonnant sa robe, elle prend mes mains pour les amener à ses seins, puis elle caresse ensuite elle-même mon corps. À mes maladresses, elle mêle rires et douces plaintes. Elle enlève ses vêtements. De ses mains agiles, elle enlève aussi les miens, tout en regardant parfois d'un œil le cerf-volant valser dans ciel, seul témoin de nos ébats.

Elle dirige mes lèvres sur ses seins pendant qu'elle s'empare de mon corps. Je suis perdu dans un tourbillon de bien-être et de douleurs. Elle m'embrasse sans répit. Une frénésie nouvelle s'empare soudain de moi alors qu'elle me retient en elle. Ma tête enfouie dans ses cheveux, nous reprenons notre souffle sur un lit de fleurs sauvages.

Elle reprend ses esprits et ses vêtements. Elle s'habille, se peigne, m'embrasse sur la joue, caresse mes cheveux et me quitte en disant : « Tu es beau ! »

Je suis confus. Et je suis content qu'elle parte. J'essaie de comprendre ce qui m'arrive. Pas un seul mot d'amour n'a été prononcé. Me voilà complètement troublé. Je ramène le cerf-volant au sol, je m'allonge dans l'herbe et je m'endors.

Sûrement ai-je péché. J'ai mal. Je suis honteux. Je promets à Dieu de ne plus recommencer. Je reste désormais dans ma chambre durant des heures. La famille ne semble pas s'apercevoir de ce désarroi. Mais le mal dont je souffre s'estompe peu à peu. La peur de mourir s'éloigne. Et le confesseur ne saura jamais rien de tout cela.

Pendant des semaines le souvenir de cette rencontre me donne des frissons. Je ne vois plus jamais Jeanne. Où est-elle ? Julie, sa voisine, me dit qu'elle est allée chercher du travail à Québec.

Julie est petite, jolie, aux cheveux noirs. Ses lèvres charnues et rieuses me charment. Oubliant toutes les promesses que j'ai faites à Dieu, un désir grandissant m'habite.

— Julie, tu viens à la pêche avec moi ?

— Où irons-nous ?

— À la rivière aux Vases près du vieux cimetière.

Passant près de la tannerie Dubé et le poulailler de l'oncle Elzéar, nous empruntons la petite route qui nous mène à la rivière. Je suis Julie. Nous marchons. Nous allons à la pêche. Mais le désir ! Le désir !

— Julie, arrête-toi ici.

— Au vieux cimetière. Tu n'as pas peur ?

— Mais non. Regarde comme c'est beau.

Je m'approche d'elle et l'embrasse sur les lèvres. Elle me regarde en souriant et rougit. Sa poitrine est ferme et moule bien sa robe rose. Je pose mes mains sur ses seins et elle me repousse :

— Gilles, assoyons-nous un peu.

Je tente de soulever sa robe. Elle me repousse encore et résiste tellement que j'en suis bouleversé.

— Julie, je ne veux pas te faire de mal, tu sais.

— Gilles, j'ai quelque chose à te montrer.

Elle tire une cigarette et des allumettes de sa robe. Elle me dit :

— Tu as déjà fumé ?

— Non, jamais.

— Tu verras comme on est bien.

Appuyés à une pierre tombale sous un soleil radieux, nous partageons cette cigarette pendant que les goglus chantent. Après quelques bouffées de fumée, l'effet se fait sentir. Je suis au bord de l'évanouissement. Mes 17 ans m'ont apporté deux nouvelles sensations : l'amour et la cigarette.

3 septembre 1939. Aujourd'hui, les journaux et la radio annoncent que l'Angleterre et la France ont déclaré la guerre à l'Allemagne. Papa semble vraiment touché par cette nouvelle. À l'école, on nous parle parfois de la Grande Guerre, la guerre de 1914-1918. Je n'ai aucun parent qui y a participé. Ce que je sais, c'est qu'elle a été d'une brutalité sans égale et que des milliers de Canadiens y sont morts. Encore la guerre ?

Les exploits héroïques des aviateurs français et britanniques occupent bientôt toutes mes pensées. Je veux aller à la guerre, à condition d'être aviateur.

Autour de la balançoire de la famille Rousseau, mon frère Clément, mes amis et moi sommes fascinés par les récits de Maurice et Philippe, nouvellement diplômés du Collège militaire de Kingston. Maurice sait tout de Napoléon et de ses armées. Ils nous parlent des grandes aventures qui les attendent. Je suis partant moi aussi pour cette aventure.

— Gilles, tu es trop jeune. Il faut avoir 18 ans, me dit Maurice.

— Je vais attendre un peu, mais j'irai sûrement dans l'aviation.

Ils sont beaux dans leur uniforme de cadets du Collège. Je les envie. Moi, ce n'est pas l'armée qui m'attend pour l'instant. Quelques jours après, je pars pour l'École technique de Québec. J'y habite une pension tenue par un vieux couple. Leur appartement sent le réfectoire. Ma chambre est toute petite et la fenêtre donne sur un mur de pierres. Je dois descendre et remonter la grande côte Salaberry tous les jours pour me rendre à l'École technique. J'ai l'impression d'être enfermé.

Je ne sais pas ce que je fais à Québec. Je n'ai pas d'habileté mécanique particulière. Cela ne date pas d'hier : Grand-père cachait tous ses outils pour que je ne puisse pas les briser ! Je trouve le temps long alors que l'on m'enseigne les rudiments de la mécanique. Serais-je plus utile sous l'uniforme ?

Je me rends un jour au centre de recrutement de la Royal Canadian Air Force (RCAF), rue Buade. Je me suis peu à peu persuadé qu'ils ne peuvent se passer de moi, même si je n'ai pas l'âge réglementaire !

— Vous êtes trop jeune. Il faut avoir 18 ans.

— Mais je les aurai dans six mois !

Le caporal me remet un formulaire et me dit de revenir à ce moment-là.

— Je ne pourrais pas m'enrôler quand même dès maintenant ?

— Non ! Il faut attendre.

Me voilà à nouveau dans les classes de l'École technique. J'y apprends moins que je ne rêve. Un autre élève m'informe un jour que M. Hallé, professeur de mathématiques, est aussi aviateur. Durant la récréation, je l'aborde.

— Monsieur Hallé, j'ai déjà vu un avion à Montmagny quand j'étais plus petit.

— Tu te souviens comment il était ?

Je lui raconte tout de cet avion bleu et rouge qui m'avait causé tant de joie lors de son atterrissage à Montmagny, neuf ans plus tôt. « Un Jenny sûrement, tranche M. Hallé. Un avion américain pour l'entraînement des pilotes durant la Grande Guerre. »

— Tu aimerais venir avec moi à Château-Richer samedi ? C'est là que se trouve mon appareil. Je dois le chausser avec des skis pour l'hiver.

M. Hallé est un professeur patient. Il a une façon de présenter les mathématiques qui rallie les élèves les plus rébarbatifs. Au début des cours, il nous dit qu'il a une double responsabilité comme professeur : la première est de nous enseigner et la deuxième est surtout de nous faire saisir la signification des mathématiques dans nos vies. « Rien ne peut être compris sans les mathématiques, répète-t-il. C'est la base du fonctionnement de notre cerveau. Alors pour votre première recherche, vous aurez à m'expliquer le mot "abstraction". »

Abstraction. Il y tenait à ce mot. Il y revenait constamment. Il nous conduisait ainsi à réfléchir sur nous-mêmes.

Novembre est maussade. Le temps est couvert. Il a neigé cette nuit. M. Hallé vient me chercher à la pension dans son cabriolet Whippet. Nous faisons route pour Château-Richer. Je suis tellement heureux à la pensée que mon désir le plus cher sera réalisé que j'en oublie de déjeuner.

Tout au fond du champ, dans une vieille grange, se cache l'objet de mes rêves les plus fous. Les vieilles portes résistent quelque peu à nos efforts pour libérer l'avion. « Gilles, je te présente mon avion, c'est un Travelair[2]. » Je n'en reviens pas. « Au travail, il faut installer les skis ! »

Pendant un long moment, je reste bouche bée. Je touche à l'hélice de métal. Je glisse mes mains sur le capot du moteur, puis sur les bords des ailes. Mes doigts effleurent les tiges métalliques qui rattachent les ailes au long fuselage rouge et blanc. Puis nous poussons l'avion hors du hangar. Nous enlevons patiemment les roues pour les remplacer par de grands skis. Le travail complété, M. Hallé déclare qu'il est temps de faire un vol !

Je m'installe dans la cabine. Il m'explique le fonctionnement des commandes. Comme il n'y a pas dans l'avion de démarreur électrique, le pilote doit lancer le moteur en tournant l'hélice. De mon poste, à l'intérieur de l'appareil, j'obéis à ses commandes :

— Manette des gaz en position ?

Je réponds aussitôt :

— Manette des gaz en position.

— Allumage prêt ?

— Allumage prêt.

— Contact ?

— Contact.

À ce mot, M. Hallé, les doigts placés au bout de l'hélice, la fait tourner et les cylindres un à un s'activent. Le moteur est en marche, comme en témoignent des nuages bleu-noir parfumés d'odeur d'essence et d'huile.

2. Avion biplan américain à cabine ouverte.

Vibrant, rugissant, le moteur entraîne la grande hélice à une telle vitesse qu'elle disparaît de ma vue. M. Hallé, au pas de course, se dépêche de me rejoindre au poste de pilotage. Il pousse la manette des gaz et l'avion glisse sur la neige nouvelle.

À chaque dénivellation du terrain, les ailes semblent battre l'air. M. Hallé tourne l'avion face au vent et pousse à fond la manette des gaz. L'hélice nous entraîne dans une course folle et en un rien de temps, le Travelair quitte le sol gelé. Ce n'est plus un rêve : j'habite maintenant le ciel !

Je vois le fleuve et ses navires. Au bout de l'aile gauche, l'île d'Orléans semble flotter sur l'eau du fleuve. Au loin le château Frontenac, la ville de Québec. À droite, les chutes Montmorency déversent des torrents d'eau blanche et fumante dans le Saint-Laurent. Des rayons de soleil ici et là percent les nuages gris et maussades et prennent par surprise les champs enneigés. Enivré par le bruit et l'incroyable beauté de la nature, sans entendre ma propre voix, je crie ma joie sans retenue aucune.

Maintenant, je sais que le jour où je ferai moi-même la conquête du ciel n'est pas loin.

CHAPITRE 4

SIR JOHN A. MCCURDY

IL FALLAIT BIEN QUE je me décide enfin à avoir cette conversation. Au plus profond de moi, je savais bien que toute cette vie à Québec n'était pas ce qui me convenait.

— Papa, je n'aime pas tellement l'École technique.

— Pourquoi ?

— Je n'ai pas d'aptitudes pour la technique. J'aime bien apprendre le maniement des outils, mais je n'ai pas la patience requise. Tenez par exemple : depuis trois semaines je travaille avec une lime sur un bloc de métal. Je dois polir les côtés également. Alors que ça semble facile pour mes copains, pour moi, c'est une tâche impossible. Ça prend une patience que je n'ai pas.

— Oui, je vois, mais tu sais qu'il n'est pas possible que je t'envoie au collège de Sainte-Anne-de-la-Pocatière ou à l'Académie commerciale de Québec.

Comme je sais bien que mon père n'a pas les moyens financiers pour m'envoyer dans des collèges privés, le moment est venu de lui parler de mes plans d'avenir.

— J'ai visité les bureaux de recrutement de la Royal Canadian Air Force à Québec. J'aimerais m'enrôler dans l'aviation. J'ai le formulaire d'inscription et je voudrais vous le montrer.

Il y a un long moment de silence. Papa demeure calme. Il réfléchit puis me dit :

— Tu n'as pas encore l'âge.

— Je l'aurai dans cinq mois. Je veux aller à la guerre, mais dans l'aviation seulement.

— Gilles, la guerre, c'est plus qu'une aventure. La guerre tue. La Grande Guerre de 1914-1918 a fait au moins 70 000 victimes canadiennes, tu sais !

— J'aimerais terminer mon année en technique avant de partir à la guerre...

— Gilles, me demandes-tu la permission ou as-tu déjà pris ta décision ?

— Cette guerre ne durera pas longtemps, Papa. C'est ce que l'on dit dans les journaux. La flotte britannique a établi un blocus qui empêchera les Allemands de gagner. Ils devront vite se rendre.

— C'est plus facile de commencer des guerres que de les arrêter !

— La presse raconte sans cesse les exploits des aviateurs français et britanniques avec leurs chasseurs Morane et Hurricane. Je veux me rendre en Europe le plus tôt possible avant que tout soit fini. Il ne reste presque plus de Messerschmitt et de Junker à détruire !

— Gilles, tu pourras décider par toi-même, mais en juin. Ne me demande pas de te donner la permission d'aller à la guerre. Si tu pars, ce sera ta décision. Je te soutiendrai tout de même. Tu es comme ton grand-père : tu ne peux pas rester en place. Tu as dû hériter de lui ce goût de l'aventure. Tu as toujours la tête dans les nuages. Le capitaine serait bien fier de toi !

— Papa, je reviendrai et je retournerai alors aux études.

Je dépose donc ma demande au bureau de recrutement, rue Buade. Je dis au responsable que je serai disponible dès mon 18e anniversaire, soit le 3 juin.

En juillet, m'y voilà enfin ! Je passe l'examen médical militaire. Tandis que je me tiens complètement nu, en ligne avec les autres aspirants, le médecin vérifie ma vue, mon ouïe, me tâte les couilles, me fait tousser et examine à fond mon rectum. Pendant un instant, cet examen me fait regretter mon engagement.

Ma signature sitôt apposée, cette guerre semble tourner à la catastrophe pour les Alliés. La Belgique, la Hollande et le Danemark tombent sous le joug des Allemands. La France capitule en juin 1940. La moitié du pays est occupée par l'armée allemande. Les Allemands repoussent les soldats anglais sur les plages de Dunkerque. Ils sont sauvés de justesse par des navires de toutes sortes. Les Anglais amènent avec eux plusieurs milliers de soldats français qui refusent tout simplement de se rendre à l'envahisseur qui a fait son nid sous la couverture légale que lui offre le maréchal Pétain, héros de la Grande Guerre. Un général inconnu, Charles de Gaulle, invite soldats, aviateurs et marins français à le rejoindre en Angleterre. Il se dit chef des Français libres.

Je lis dans les journaux toutes les nouvelles concernant la guerre. Le Canada se mobilise à fond tandis que l'Allemagne occupe toute l'Europe. Plus rien ne semble s'opposer à son avance. Le 10 septembre 1940, je reçois par la poste un avis me demandant de me présenter au Manning Depot, n° 4, rue Saint-Charles à Québec.

— Donne-moi tes papiers, me dit un sergent.

Au poste de garde, on me remet des formulaires de toutes sortes. On me dit de suivre les autres volontaires. Immédiatement, on nous amène dans une grande pièce, où on nous remet uniformes, képis, bottes, paletots et tout notre équipement d'aviateur. Ces costumes sont bleu foncé et nettement plus beaux que ceux de l'armée de terre de couleur kaki. C'est la première chose qui me frappe.

— Demain matin, 7 heures, déjeuner.

— Et soyez prêts pour la parade de 7 h 30, ajoute un sergent en criant.

Une nouvelle vie au pas de course commence. Opinions ou contestations n'apportent que punitions. Celles-ci sont parfois cocasses.

— Est-ce qu'il y en a parmi vous qui ont un permis de conduire ? demande le sergent.

Je sors des rangs et m'empresse de répondre avec fierté :

— Moi, sergent !

Les volontaires qui répondent à l'invitation se voient remettre des brouettes. Toute la journée, nous transportons des lits et des matelas. J'apprends alors une leçon importante dans l'armée : éviter le volontariat.

Durant les quatre mois que je passe au camp, l'apprentissage de l'anglais occupe la majeure partie de mon temps. Pour réussir dans l'aviation, il faut connaître cette langue. Le français ne vole pas haut dans l'aviation de Sa Majesté. Après les cours, nous nous réunissons à la cantine qui est l'endroit par excellence pour nous « défouler ». J'y prends ma toute première bière.

Tous les jours, beau temps, mauvais temps, nous paradons avec tout notre équipement dans les rues de la basse-ville de Québec. Nous portons même notre masque à gaz en bandoulière.

Deux jours par mois, j'ai droit à un congé. Pour les fêtes de Noël, je suis chez moi. Mais le 2 janvier 1942, je pars pour Summerside à l'Île-du-Prince-Édouard par le *Maritime Express*. Je vais désormais à l'école de vol n° 7, la Flying Training School.

Je suis bien malheureux que l'on ne m'ait pas choisi comme membre du personnel volant. Il me manque une année d'études... Alors, je serai commis à l'école de pilotage où l'on entraîne les étudiants sur des avions Harvard. L'île tout entière est ensevelie sous la neige. On foule celle-ci sur les pistes à l'aide de gros rouleaux métalliques tirés par des tracteurs.

Ma connaissance très limitée de la langue de Shakespeare manque un jour me mettre dans de beaux draps. Mon caporal est parti dîner et je suis seul au bureau. Le chef instructeur, le commandant d'aviation, Eric Webster, entre soudainement et me dit d'une voix tonitruante :

— *Aircraftman Boulanger, go and tell all flights that this will be dual only.*

— *Yes Sir !*

Je suis terrifié à la vue de cet officier. Il boite et il a les cheveux roux. Il ne sourit jamais. Il « jappe » ses ordres. Je n'ai rien compris. La peur me rend sourd. Je sais que je dois sortir, aller quelque part dire quelque chose à quelqu'un. Je ne peux rester dans le bureau et attendre le caporal. Incertain et à pas lents, je m'approche du premier hangar. Il a bien dit *flights* et il y en a six... Puis, *go* veut dire aller. Donc, je dois aller voir les *flights* et leur dire *dual only*.

Je n'ai aucune idée du sens de *dual only*. J'ouvre la porte du Flight A et constate que les élèves pilotes sont calmes ; ils jouent aux cartes ou aux dés. D'une voix incertaine, je dis :

— *Dual only.*
— *What did you say?*
— *Dual only.*

À cet ordre, les aviateurs se répètent les uns aux autres ce fameux *dual only*. Cela les met dans tous leurs états. Ils se précipitent tous sur leur combinaison de vol, leurs bottes, leur casque et leur parachute. Ils parlent tous en même temps. Je ne sais pas ce que je leur ai dit, mais ils semblent assez contents. Avec un peu plus d'audace, je donne le même signal aux Flights B, C et D. À mon commandement, les pilotes se comportent exactement comme ceux du Flight A.

Je continue ainsi ma ronde jusqu'au Flight E au 3e hangar, où les aviateurs réagissent eux aussi avec enthousiasme à mon *dual only*. Arrivé au Flight F, je me rends compte de l'importance de ce mot qui sème tout ce joyeux brouhaha. Mon *DUAL ONLY*, je l'ordonne maintenant avec force et de façon très militaire. À la sortie du hangar, je vois les avions Harvard entourés de mécaniciens et d'élèves pilotes qui se préparent. Le bruit est infernal. Déjà quelques avions volent et d'autres quittent la rampe dans un nuage de gaz d'échappement qui se mêlent à la neige en formant des tourbillons menaçants.

Tête haute, au pas militaire, confiant, je retourne à la tour de contrôle. À son approche, tout à coup un doute terrible s'empare de moi. Que veut dire ce *dual only*? Et si j'avais mal compris? Si *dual only* voulait dire que deux avions seulement peuvent voler? Alors je me sens misérable et m'imagine tous les reproches qui vont m'être adressés. Je me vois déjà au cachot au pain et à l'eau...

Je retrouve le caporal à son bureau. Le commandant d'aviation Webster m'ignore totalement. Ça y est, me dis-je, il va me tomber dessus.

Mais rien de grave ne semble se produire. Que peut bien vouloir dire ce fameux *dual only* ? Ce n'est que plus tard, au mess, que j'ose enfin demander à un camarade la signification de ces mots :

— Dis-moi donc, que veut dire l'expression *dual only* ?

— Tu ne sais donc pas ? Étant donné le mauvais temps, les élèves doivent voler avec leurs instructeurs seulement. Donc *dual only* signifie en double commande, me répond-il en riant.

Quel soulagement ! Voilà pourquoi il y avait tant d'animation et tant de cris de joie. Il y a du vrai dans l'expression : « Trop peu de connaissances est dangereux. » Je me dois d'améliorer mes connaissances de la langue anglaise. Et vite.

Il y a maintenant trois mois que je suis ici. Vais-je finir par prendre l'air ? Je demande aux pilotes de les accompagner lors de vols d'essai. Ceux-ci m'en font voir de toutes les couleurs. Vols en rase-mottes, vols acrobatiques et vols en formation me donnent d'enivrantes sensations qui deviennent parfois, il faut le dire, franchement désagréables.

Ici, à l'Île-du-Prince-Édouard, les habitants sont généreux. Nous sommes accueillis partout avec gentillesse. Les insulaires travaillent principalement à la culture de la pomme de terre. Pour eux, la présence des aviateurs sur l'île constitue une importante source de revenus.

Je loge chez une veuve et ses trois filles. Cette généreuse dame amène parfois ses filles à des danses organisées par le YMCA. Elle les chaperonne avec tant d'efficacité que mes attentions pour l'une d'elles sont vouées d'emblée à l'échec. Quelquefois, nous partons tous en pique-nique au pays d'*Anne, la maison aux pignons verts.* Je découvre avec elles Charlottetown. Bien vite, ces trois filles deviennent pour moi plus des sœurs adoptives que d'éventuelles conquêtes. Me voici devenir pour la dame et ses filles le fils ou le frère qu'elles n'ont pas. Cette famille remplace la mienne qui me manque tellement.

Puis, un jour, mon adjudant me fait savoir que je suis transféré à la station de Glace Bay, à l'île du Cap-Breton. L'adjudant est un personnage important dans la vie de l'aviateur. Non seulement ses fonctions lui permettent-elles de tout savoir sur tout le monde, mais il est en plus l'homme de confiance du commandant. Les caporaux qui nous rendent sans cesse la vie impossible sont ses complices. C'est comme s'ils tenaient nos vies entre leurs deux misérables galons. Combien de ces caporaux se prennent pour Napoléon ? De tels petits gradés n'ont pas d'autorité réelle, mais ils ne le savent pas ou ne veulent pas le savoir. Tout est rapporté au sergent, perçu comme un homme sage, compréhensif et astucieux. Qui de tout ce monde-là convient-il d'haïr le plus ? Nous ne le savons pas.

L'adjudant me donne mes papiers pour le transfert. Il m'avise que je partirai demain matin par avion. Je suis habitué aux changements de vie rapides. Ça me plaît. De toute façon, on ne me demande jamais mon consentement. Alors à quoi bon se plaindre ?

Je suis à bord d'un Anson, un monoplan propulsé par deux moteurs de 200 chevaux chacun. C'est ma première expérience à bord d'un si gros avion. Tout autour, il y a de grands hublots qui nous donnent l'impression de voler dans une serre où nous ne serions que des légumes !

Nous volons depuis une heure. Deux élèves pilotes et deux élèves navigateurs sont installés aux commandes. Destination : Glace Bay. À une altitude de 5 000 pieds, la vue de l'Île-du-Prince-Édouard, cernée par la mer, est d'une beauté surprenante. À ma droite, on aperçoit le Nouveau-Brunswick et le détroit de Northumberland. Le trajet à parcourir est de 250 milles. Bientôt, nous survolons Charlottetown. Dans deux heures au plus nous serons à Glace Bay. Mais diable qu'il fait froid dans ces avions ! Le Anson avec son fuselage tout en toile n'a pas de système de chauffage. Nous gelons tous. Les navigateurs consultent leurs cartes aériennes. Par les grands hublots, je ne vois que la mer à l'infini. De ce moulin bruyant nous finissons par voir apparaître le lac Bras d'Or, au cœur de l'île du Cap-Breton. Les collines sont couvertes de verdure mais il y a encore de la neige sur le sommet des montagnes.

Nous survolons enfin la ville de Sydney, puis les grandes mines de charbon. En quelques minutes, nous sommes sur la terre ferme, posés sur une longue piste en bord de mer. Il n'y a pas un seul avion Harvard en vue, mais seulement de gros bimoteurs que je ne connais pas. Tout est différent ici. Je me présente à l'adjudant qui n'a pas été prévenu de mon arrivée. Me voici aussi vite logé.

— *Barrack 12, that is your home. Speak to corporal Jones and see me tomorrow morning.*

— *Yes Sir !*

Je mène une reconnaissance de ma nouvelle base. Je prends un air affairé afin de ne pas être dérangé dans ma visite et me promène partout où il y a des avions. Quels avions ici ! Ce sont des Lockheed Hudson à l'allure guerrière, avec leur double queue et leurs deux moteurs de 850 chevaux chacun. Au mess, j'apprends que ces avions patrouillent dans le golfe et le fleuve pour repérer des sous-marins ennemis. Les U-boat allemands s'aventurent parfois bien loin dans les eaux du Saint-Laurent, dont tous reconnaissent l'importance stratégique. Entre 1942 et 1944, les sous-marins allemands coulèrent plusieurs navires dans le Saint-Laurent.

Le lendemain, l'adjudant me trouve un poste de commis dans un des hangars réservés à l'entretien des appareils. Je suis tout à fait heureux. Je vis entouré d'avions et mon travail me rapproche des mécaniciens. J'ai tout le loisir de visiter les appareils à fond. Les mécaniciens sont patients avec moi, mais je dois cependant éviter, pour assurer mon bonheur, tout contact avec les caporaux...

C'est le printemps. L'île du Cap-Breton m'apparaît d'une grande beauté. Mais Sydney et Glace Bay, les deux villes minières, sont laides et sans intérêt. Les bars y sont nombreux. Les officiers nous recommandent de ne pas fréquenter ces lieux. Comme je ne bois pas et que je ne suis pas bagarreur, cela ne me contrarie pas. Je suis trop petit pour être pris au sérieux dans ce genre d'endroit. Je mesure seulement 5 pieds 6 pouces et ne pèse que 115 livres. Dans le monde militaire aérien, je suis un poids plume.

Les patrouilles au-dessus du golfe se succèdent tout au long du jour. Les Hudson transportent 700 livres de bombes dans une soute située sous le fuselage. Leur vitesse de croisière est de 200 milles à l'heure. Ils ont une autonomie de vol de six heures.

J'aimerais bien participer à une de ces missions de surveillance. Mais inutile de le demander : comme je ne suis pas un membre du personnel volant, ce serait automatiquement refusé. Je suis collé au sol.

Les Hudson comptent sur deux pilotes, un viseur de lance-bombes et un opérateur radio. L'appareil est équipé de quatre hublots pour les observateurs qui, tels des faucons, doivent tenter de repérer les sous-marins. Les mécaniciens sont parfois volontaires pour la tâche d'observateur. Je me lie donc d'amitié avec l'un d'eux qui a mon âge. Il est originaire de Moncton et parle un peu français. Un jour, il me dit :

— Rien de plus facile, si tu veux participer à une mission. Je te céderai ma place à la première occasion.

Quelques jours plus tard, mon ami mécanicien m'accoste et me dit :

— Gilles, après-midi, 15 heures, tu pars à ma place.

À 15 heures, me voilà sur l'aire de stationnement de l'avion. Les pilotes sont déjà à leur poste. Ray me pousse à bord avec trois autres observateurs. Les moteurs tournent. L'avion commence à avancer. Nous nous rendons au bout de la piste. Les moteurs poussés à plein régime, l'avion décolle en quelques secondes.

Ce bel avion, tout en aluminium, est fabriqué aux États-Unis. Nous pouvons demeurer en contact les uns avec les autres grâce à un système d'écouteurs. Le pilote nous dit :

— Nous volerons à 1 000 pieds au-dessus de la mer et vous devez nous aviser de tout ce que vous voyez, y compris les bateaux de pêche.

Que la mer ! Que le ciel ! Je suis assez désappointé... Rien de rien. Si je repère quelque chose, je dois le signaler au pilote en donnant la position de l'objet selon un cadran imaginaire au centre duquel se trouverait l'avion. Pendant des heures, nous survolons la mer, mais je ne vois finalement que deux malheureuses goélettes de pêcheurs. Aucun sous-marin allemand.

L'usage de l'anglais devient de plus en plus facile pour moi. Je fréquente assidûment la bibliothèque et toutes mes lectures se font, faute de livres en français, dans la langue de Shakespeare. Mes compagnons sont anglophones. À l'occasion, je vais au cinéma. En anglais. Comme je suis bon danseur, grâce à mes sœurs musiciennes qui m'ont enseigné le rythme et la danse, je me présente aux soirées organisées par le YMCA sur notre base. Les chaperons tiennent les filles sous haute surveillance. Je réussis malgré tout quelques séances de *necking* avec des partenaires aussi passionnées que moi. En anglais toujours.

Quelques semaines s'écoulent ainsi avant que je n'obtienne une permission de quatre jours. Je vais alors voir le vendeur de bicyclettes à Glace Bay. Pour 50 cents la journée, je loue un CCM. Durant ces jours de congé, je porte mes vêtements civils. Me voilà sur ma bécane, avec laquelle je traverse sans difficulté les villes de Glace Bay et de Sydney.

Vers 17 heures, après avoir roulé toute la journée, j'arrive à Englishtown. Je trouve un logis dans un petit hôtel, au centre du village. Après une nuit de repos, je reprends la route et pédale cette fois jusqu'au sommet des collines qui surplombent St. Ann's Bay. La baie est remplie de navires marchands à l'ancre. Ils semblent collés les uns aux autres. Il y en a 34. Je n'ai jamais vu autant de navires de ma vie. Je sors mon petit appareil photo et prends plusieurs clichés, pensant en moi-même qu'ils impressionneront les copains.

Un homme âgé s'approche alors de moi, tout en tirant sur le tuyau de sa pipe :

— *What are you doing?*

— *Taking a few photos.*

— *What is your name?*

— *Gilles Boulanger. I am stationed at Glace Bay.*

— *What are you doing in civilian clothes?*

— *I am on holiday.*

Avec mon accent français, je sens bien qu'il ne croit pas à mes explications.

— *You will follow me to the village. We will see the RCMP.*

— *Why ?*

— *You are not allowed to photograph the ships in the channel. Give me your camera.*

Quelques minutes plus tard, nous sommes au poste de police. L'officier de service demande mes papiers d'identité que je lui remets sur-le-champ.

— *What is the name of your commandant ?*

— *Squadron Leader Reeves.*

— *Wait in the corridor.*

Mon gardien, la pipe toujours pendue au coin de la bouche, me surveille du coin de l'œil. Il remet ma caméra à l'officier. Au bout de 15 minutes, on m'appelle à nouveau :

— *Aircraftman Boulanger, we have checked with your adjudant. He has identified you. I will remove the film from your camera and destroy it. Don't you know that it is forbidden to take photos of ships in harbor ?*

— *No, Sir. I did not know.*

— *So you know now. Here is your camera.*

J'avais photographié, sans le savoir, des navires marchands attendant les destroyers devant les escorter durant leur traversée de l'Atlantique vers l'Angleterre. On m'avait donc pris pour un espion. On me relâche. L'homme à la pipe qui m'a arrêté me prend alors par le bras et me dit :

— *Young man, you must be hungry after all this.*

— *Yes Sir, that's for sure.*

— *Come home with me. My wife must have an extra plate.*

Je l'accompagne volontiers et passe finalement deux heures agréables chez ce M. Andrew. Je leur parle de ma famille et de mes rêves. Plus tard, je reprends la route avec ma bicyclette en direction de Baddeck. Tout le long j'ai sous les yeux le magnifique grand lac d'eau salée. Le paysage est à couper le souffle. Arrivé à Baddeck, je m'arrête dans un petit hôtel près de la poste. J'en profite pour écrire des cartes postales à mes amis et à ma famille. Sur le chemin du bureau de poste, je remarque une très jolie fille aux cheveux roux et au visage rousselé. Pourquoi pas, me dis-je. J'ose !

— *Good afternoon Miss.*

— *Hello. You have an accent. Where are you from ?*

— *Montmagny in the Province of Quebec. I am on a pass.*

— *You are in the army ?*

— *No, in the Air Force.*

Je lui explique que je suis stationné à Glace Bay, que je suis en permission, que je découvre le pays à vélo, que tout est si beau... Et la voilà qui me présente sa mère, Mme McCleod, sortie soudain de nulle part.

— *Mother, come and meet an aviator from Quebec !*

— *What is your name ?*

— *Gilles Boulanger.*

— *That is hard to say.*

— *I'll teach you !*

— *Margaret, invite the young man to visit us tomorrow.*

J'accepte avec plaisir et étonnement cette invitation pour le lendemain. Je retourne à l'auberge. Dans le *Halifax Herald*, j'apprends que les nouvelles de la guerre ne sont pas bonnes. Encore une fois.

L'Angleterre est alors toujours seule à faire front devant l'Allemagne. L'armée grecque vient de capituler. En Afrique, les Alliés doivent se replier sur l'Égypte. Les armées allemandes envahissent la Yougoslavie et la Crète.

Une seule victoire depuis des mois fait exception : un biplan de type Swordfish a mis hors combat le *Bismarck* avec une torpille. Le plus gros cuirassé dans le nord de l'Atlantique a été mis hors d'état de nuire grâce à un avion ! Une terrible bataille navale s'en est suivie et, après des jours de lutte, le *Bismarck* a sombré, mais il aura réussi auparavant à couler le destroyer britannique *Hood*. Un seul marin sur les 2 000 que comptait le *Hood* s'en est tiré vivant.

Au fond, l'Angleterre compte essentiellement sur l'Aviation royale pour défendre ses îles. Le Canada tout entier devient le plus grand centre d'entraînement de tout l'Empire britannique. Il existe désormais des écoles d'aviation dans toutes les provinces. Les aviateurs des dominions et des colonies sont entraînés au Canada et transportés ensuite en Angleterre, aux Indes, au Moyen-Orient et en Afrique. La libération viendra du ciel ou ne viendra pas !

Et moi, pendant ces temps maudits, je suis en vacances ! Quatre jours seulement. Quatre jours de paix en pleine guerre. Il faut savoir en profiter.

Le lendemain, sitôt levé, je pédale allègrement vers la résidence des McCleod, une maison somptueuse. Le père est un entrepreneur qui travaille pour le ministère de la Défense du Canada. La maison est située au bord du lac. Un serviteur annonce mon arrivée. Margaret m'accueille avec gentillesse et nous passons la journée à nous amuser : tennis, baignade et voile sur le lac. Qu'est-ce que j'aurais pu espérer de mieux ?

— Maman vous invite à rester pour le dîner.

— Votre maman est très aimable, Margaret. J'ai peur d'abuser de vos gentillesses...

— Non, il faut rester !

Comment refuser ? L'endroit est un vrai paradis et, en plus, elle est jolie... Margaret me fait visiter la maison et je vois plusieurs photos anciennes d'avions et d'aviateurs.

— Ce sont des photos de monsieur Bell et de monsieur McCurdy que Papa a prises il y a longtemps.

— Monsieur Bell...

— Oui, oui, l'inventeur du téléphone. Vous voyez de l'autre côté de la baie, c'est la maison des Bell et sa fille, Mme Grosvenor, y demeure pendant la belle saison.

— Et les photos des avions ?

— Mon père a pris ces photos lors du tout premier vol d'un avion dans l'Empire britannique. Papa est bien fier de ses photos. Tenez, regardez cet avion, c'est le Silver Dart[1] ! Le premier avion canadien. Il était piloté par McCurdy, un ami de mon père. Justement, ce monsieur McCurdy que vous voyez sur les photos est l'invité de Papa et de Maman ce soir.

Je dois admettre que je ne connais pas ces histoires. On ne m'a jamais parlé du premier avion de l'Empire britannique. En fait, je ne connais pas grand-chose de l'histoire de l'aviation. Pour tout dire, je ne connais tout simplement pas grand-chose...

Alexander Graham Bell, Mme Grosvernor, M. McCurdy, le Silver Dart, l'Empire britannique ! Soudainement, je ne me sens plus à l'aise du tout. Margaret s'aperçoit que je suis intimidé. Je le sais et cela ne fait qu'augmenter encore mon malaise.

1. Premier avion à voler dans l'Empire britannique le 23 février 1909.

Au souper, devant tous ces gens et cette table bien mise, je suis content que tante Gaby m'ait si bien enseigné les bonnes manières. J'avoue à M. McCurdy que je ne fais pas partie du personnel volant, mais que ce n'est qu'une question de temps. À la fin du repas, je me tourne vers Margaret et lui dit :

— Margaret, je dois retourner à Baddeck bientôt.

— Je comprends.

— Puis-je prendre congé et faire mes adieux à vos parents ?

M. McCurdy, qui écoute d'une oreille, me dit :

— Jeune homme, je pars moi aussi dans quelques minutes. Je peux vous laisser à votre hôtel.

Il cale ma bicyclette dans le *rumble seat*[2] de son cabriolet La Salle et me dépose donc à l'hôtel. Je ne réalise pas très bien à ce moment que je viens de rencontrer l'un de ces pionniers qui ont fait l'histoire de l'aviation au Canada.

De retour à la base, j'apprends qu'un sous-marin allemand a été coulé par un avion Lockheed piloté par le lieutenant d'aviation Molly de l'escadrille 113. Sur les terrains de la base, il y a de nouveaux avions. Ils ont une allure curieuse. Ce sont des monomoteurs à ailes très hautes. Ils portent le nom étrange de Lysander. J'apprends qu'ils sont là pour effectuer des manœuvres avec l'armée. On y embarque de petits sachets de farine qui servent de bombes factices lors d'exercices. Il y a une ouverture sous la carlingue pour lancer ces bombes de farine.

La semaine durant, j'observe les cinq Lysander qui partent en mission avec leurs fausses bombes. Les

2. Coffre arrière d'une voiture (1930) convertissable en siège pour deux personnes.

lanceurs de farine sont la risée des compagnons. Il n'est pas difficile pour moi de m'inscrire pour un de ces raids puisque personne ne veut y aller. Je participe donc à un vol de bombardement de farine.

Notre équipage survole les plaines humides de Louisbourg, où l'armée française, autrefois, fut vaincue par les forces britanniques. Nous devons lancer nos bombes de farine sur des chars d'assaut, des Bren Carriers, ou encore sur des fantassins massés dans ces champs. Comme tous les autres lanceurs de poches, je reviens à la base couvert de farine de la tête aux pieds. Tout le monde rigole ! Jusqu'à maintenant, cette guerre est pour moi plus comique que dangereuse !

Un matin, je vois épinglée sur un babillard une note de l'adjudant. Il invite les personnes intéressées à une révision de leur dossier à rédiger une demande. Voilà ma chance de changer de statut ! Je m'empresse de m'inscrire à la révision. Je veux devenir, en toute priorité, élève pilote ! Je vois le médecin et les résultats sont concluants.

Le 22 juin 1942, le conflit européen s'étend. L'Allemagne attaque la Russie, son allié invraisemblable du pacte germano-soviétique. Hitler a roulé les Russes eux aussi. L'Angleterre ne sera plus seule. Il y aura les Soviétiques sur le front est. Mais les Alliés se méfient des communistes.

L'adjudant me dit que je suis admis comme élève pilote et que je serai affecté à une école de pilotage dans neuf mois. Neuf mois, me dis-je, la guerre sera finie avant que je sache piloter ! Je n'en peux plus d'être là. C'est maintenant que je veux participer à l'action.

— *Sir, the war will be over before I get to fly.*

— *So maybe, you can go as air gunner immediately, if you want.*

Je pourrais être mitrailleur aérien dans trois mois. Je dois prendre une décision sur-le-champ. J'accepte.

Tout est prêt pour un voyage en train en direction de Mont-Joli. J'y rejoindrai là-bas la Gunnery School. D'autres copains partiront plus tard pour les écoles de navigation, de télégraphie et de pilotage. Je suis le seul à partir si rapidement. On me remet les documents de voyage.

Entre-temps, j'apprends qu'il y a souvent des départs en avion vers l'aéroport de Saint-Hubert. Comme je compte m'arrêter à Montmagny dans ma famille pour un congé de deux jours, l'avion n'est pas le moyen de transport idéal. Mais comment résister à l'appel de l'air ? Je monte à bord d'un Beechcraft 18. La chance me sourit car l'avion fait une escale à Québec, ce qui me rapproche considérablement de Montmagny.

Le premier novembre, je quitte ma famille pour Mont-Joli. Dès le lendemain, je commence mes cours théoriques de tir. À la fin d'une semaine de cours, nous allons au champ de pratique. J'utilise des carabines Remington ou Enfield ainsi que des mitrailleuses Lewis. Je vise des pigeons d'argile avec des fusils. Au contraire de mon père et de mes frères Clément et Robert, de vrais amateurs de chasse, je n'ai jamais éprouvé beaucoup d'intérêt pour ce sport. J'apprends à tirer pour voler ! Je deviendrai chasseur malgré moi, mais les cibles ne seront pas les mêmes que celles de mes frères.

Notre entraînement aérien se fait sur des Fairey Battle. Ce bombardier léger, équipé d'un seul mitrailleur, s'est avéré à l'usage un appareil très peu performant. On en a fait un avion d'entraînement. Au début de la guerre, malgré leur moteur Merlin de

1 000 chevaux, les Fairey Battle ne peuvent échapper aux pilotes de chasse allemands. Les Messerschmitt les abattent comme des mouches. En 1940, lors d'un raid en France, 18 Fairey Battle sur 19 sont abattus en quelques minutes seulement par la chasse allemande. On raconte alors qu'il est possible que les pilotes allemands aient tout simplement manqué de munitions pour abattre le dernier avion...

Cet appareil de guerre ne sert plus maintenant qu'à tirer des manchons cibles de 40 pieds de longueur ! Les pilotes aux commandes de ces avions accumulent des heures de vol, mais c'est un travail monotone pour eux. Jour après jour, ils amènent des apprentis mitrailleurs au-dessus du fleuve. Ceux-ci visent les manchons cibles tirés par d'autres Fairey Battle. La tâche n'est pas sans danger, car il arrive que des apprentis tireurs manquent les cibles et atteignent l'avion remorqueur... Mourir à l'entraînement, quel destin stupide.

La mitrailleuse Lewis que nous utilisons date de la Grande Guerre. Dans le cockpit arrière, soumis aux vents, je me tiens debout, attaché au plancher de l'avion par un solide harnais. Le chargeur de balles est placé au-dessus de la mitrailleuse. Il contient 200 balles de calibre .303. Les balles de fer sont peintes de différentes couleurs, selon la mitrailleuse utilisée. Une fois les cibles récupérées, on peut ainsi vérifier la précision du tir des élèves.

De tels exercices aériens profitent parfois quelque peu à la population locale. L'effort de guerre amène un sens plus aigu que jamais du recyclage. Demandez-le à Mme Lévesque ou à d'autres femmes des environs !

— Madame Lévesque, nous sommes de la police militaire.

— Oui, je le vois bien ! Entrez messieurs.

— Nos avions larguent régulièrement de grands manchons de nylon avant d'atterrir.

— Oui, je les vois faire.

— Le problème, madame, c'est qu'il en manque un de temps à autre. Impossible de les retrouver.

— Je vois.

— Par hasard, vous n'auriez pas vu des gens les récupérer ?

— Non, mais si j'en vois, je vous téléphonerai.

Les policiers militaires repartent sans même remarquer les belles chemises et les robes blanches d'enfants séchant au vent sur la corde à linge... Au retour de la Grande Guerre, les soldats avaient usé leur uniforme aux champs. Dans cette guerre-ci, les enfants sont habillés des tissus trouvés dans les champs !

Le 7 décembre 1941, le Japon détruit la flotte américaine à Pearl Harbor, aux îles Hawaii. Maintenant la guerre est mondiale. Je le sais. Tout le monde le sait.

Les mois d'entraînement s'achèvent. Les vols au-dessus du fleuve sont toujours aussi monotones. Souvent, les pilotes frustrés par la routine partent en cavale et se lancent dans une chasse folle imaginaire, pourchassant les fantômes d'avions allemands au-dessus des forêts de la Gaspésie. Ces escapades sont enivrantes. Des têtes de sapins décapités par les ailes partent en spirale vers les nuages. Les lacs, les îles et les rivières sont autant de lieux où se sont certainement réfugiés les avions allemands virtuels que notre Fairey Battle traque et détruit irrémédiablement. Il gagne inévitablement tous les combats qu'il a auparavant perdus dans le ciel de France ! De ma position de mitrailleur, je ne compte plus le nombre d'avions allemands que j'abats en rêve. Le Fairey Battle est vengé une fois, dix fois, cent fois ! Ces folles virées ne plaisent pas toujours au commandant, mais elles se poursuivent sans répit. La guerre, c'est la guerre !

Le jour de la collation des grades se déroule dans le grand hangar. Le commandant nous a rassemblés là afin de remettre à ceux qui ont réussi leurs examens l'aile de mitrailleur qui fait foi de leur réussite. Il y a aussi la remise de nos trois galons qui font de nous tous des sergents. Le seul fait que les caporaux n'auront plus d'emprise sur nous est déjà considéré comme une victoire sur l'ennemi. Mais l'Europe doit encore attendre. Je passe les Fêtes dans ma famille. Papa, mes frères et mes sœurs sont bien fiers de moi. Tous se réjouissent de mes succès. Après les Fêtes, je pars pour l'Angleterre par la mer. Enfin.

CHAPITRE 5

L'ALOUETTE S'EN VA-T-EN GUERRE

Les Alliés vont de défaite en défaite. Les Américains sont en guerre depuis presque un an déjà, à la suite de l'attaque sournoise des Japonais à Pearl Harbor. Dans les premiers mois de l'année, le général américain MacArthur a dû abandonner les Philippines, et l'armée japonaise a aussi conquis Hong Kong et Singapour. L'armée canadienne a participé au terrible raid manqué de Dieppe. Des milliers de nos soldats sont tombés sur les plages. L'issue de la terrible bataille de Stalingrad est toujours incertaine. L'Allemagne bombarde sans répit Londres et d'autres villes anglaises. Le général allemand Rommel est aux portes de l'Égypte. L'armée anglaise est épuisée. Le monde libre retient son souffle. Tout va-t-il basculer définitivement aux mains des nazis ? Bientôt, je serai au milieu de tous ces dangers.

Le grand départ se prépare doucement. Je vais prendre le *Maritime Express* le 2 janvier pour Halifax. C'est mon lieu d'embarquement. Le jour des adieux arrive. Mes jeunes sœurs, Monique et Suzanne, sont fières de moi dans mon uniforme de sergent. Margot et Madelon de leur côté cachent mal leurs inquiétudes alors que Clément ne se fait pas de soucis à mon égard.

Les plus jeunes, Denis et Marcel, ne se rendent pas trop compte de ce qui se passe vraiment. Robert, mon frère aîné, est déjà en service dans l'aviation à Patricia Bay, sur l'île de Vancouver.

M. Langlois vient nous chercher en carriole pour nous amener à la gare. Papa, Madelon, Margot et Clément m'accompagnent. Je les embrasse tous et ne peux retenir mes larmes. Les adieux sont douloureux.

La locomotive crache de la fumée tout le long du parcours. Le cri plaintif du sifflet me fait songer au cri langoureux du huard au crépuscule. Bientôt, le bruit saccadé des roues sur les rails m'envahit tout entier pendant que le train m'entraîne vers mon destin.

Le lendemain, le train entre en gare à Halifax. Un millier de soldats débarquent comme moi. Des autobus nous amènent au camp militaire. Nous attendrons là notre navire. Je profite de l'occasion pour téléphoner à Margaret qui m'invite à nouveau chez elle. Le chauffeur de la famille vient me chercher et me laisse à la porte de la somptueuse résidence.

Pendant que la bonne nous sert le *high tea*, Margaret et moi renouons connaissance. Elle fait sa première année de droit à l'Université de Dalhousie. Je suis impressionné. Alors que je vais à la guerre, elle s'en va aux études. Un instant, un instant seulement, je l'envie.

De retour au camp, j'apprends que nous devons repartir pour Moncton. Que se passe-t-il ? Retour à la case départ ? Le navire qui devait nous transporter a-t-il été coulé ? Les trois jours déjà passés à Moncton ont été d'un tel ennui ! Non, ce ne sera pas Moncton. Nous voilà repartis, mais cette fois pour les États-Unis, en direction du camp Miles Standish au Rhode Island. Les rumeurs vont bon train. Embarquerons-nous à Boston ou à New York ?

Au camp, je m'adresse à mon officier :

— *Sir*, j'ai des parents ici à Providence. J'aimerais aller les voir.

— OK, je vous accorde une permission de huit heures.

Je mens. Je n'ai pas de parenté à Providence, mais une amie. Durant les vacances d'été 1939 à Montmagny, j'ai fait la connaissance de Nancy Arnold alors qu'elle faisait le tour de la Gaspésie à bicyclette. Elle accompagnait un groupe de jeunes du American Youth Hostel. J'ai entretenu une correspondance avec elle depuis ce temps afin d'améliorer mon anglais écrit. Nancy et ses parents viennent me chercher au camp tôt le matin et je passe une agréable journée en leur compagnie. Des adieux et on me ramène au camp. Je dois partir. Mais vais-je finir par partir ?

— *Attention to all Canadian airmen*, hurlent les haut-parleurs, *you will be leaving Miles Standish at seven o'clock*.

Nous prenons enfin la route en direction de New York, où nous attend notre navire, le *Queen Elisabeth I*. C'est le plus luxueux et le plus gros navire du monde, paraît-il. Devant lui, très impressionné, je ne vois ni le début ni la fin de sa coque d'acier.

— Regarde, Antoine, qu'est-ce que c'est que cette masse là-bas sur l'eau ?

— C'est le *Normandie*, nous dit un matelot à l'embarcadère.

Au quai opposé repose l'épave du *Normandie*, gloire de la France, couché sur son flanc.

— Il a été saboté par des espions allemands, explique le matelot.

L'embarquement de tous les militaires se fait rapidement. Les consignes sont simples. Nous devons porter notre gilet de sauvetage en tout temps. Nous ne mangeons que deux repas par jour. Le reste du temps, nous devons rester sur le pont qu'on nous a désigné. Nous sommes entassés à 15 dans une cabine de luxe conçue pour deux personnes. Il n'y a aucun meuble, seulement des couchettes. Les hublots sont scellés.

Aux petites heures du matin, le grand navire, poussé par de puissants remorqueurs, quitte le quai.

— Regarde, Gilles, là-haut, un ballon dirigeable !

— J'en vois deux ! Ce sont des dirigeables de la marine américaine. Ils ressemblent au R-100 que j'ai vu à Montmagny, en 1930.

À la sortie du port, je contemple New York et ses gratte-ciel. Comme nous venons tous de petites villes ou villages du Canada, très peu d'entre nous ont pu voir tant de merveilles. Nous passons devant la statue de la Liberté, symbole de l'Amérique libre. Nous en avons des frissons. Comment concilier cette image de liberté avec celle de la guerre qui se propage partout sur le globe ?

Le navire gagne de la vitesse et les dirigeables qui nous escortaient, incapables de nous suivre, cèdent la place à des avions patrouilleurs. La nuit venue, le *Queen Elisabeth I* file à pleine vitesse sur l'océan Atlantique.

Sur le bateau, je retrouve par hasard Édouard Jean. Le destin est toujours plein de surprises. Jean et moi étions des copains de classe à Montmagny, au collège des Frères du Sacré-Cœur. Il est maintenant sergent pilote. Quelle veine de se rencontrer ainsi en pleine mer !

— En 1938, m'explique-t-il, je suis retourné aux études classiques pendant deux ans. Je me suis enrôlé il y a 18 mois maintenant.

— Moi, j'aurais dû être plus patient… J'ai eu la possibilité de devenir pilote, mais le délai de neuf mois me paraissait si long que j'ai choisi le cours de mitrailleur.

Sans plus d'escorte aérienne, le navire file à pleine vapeur sur une mer calme. Aucun sous-marin ne peut nous rattraper pour nous couler. Mais si par malheur nous en croisions un ? Dès le premier jour, la routine s'installe. Nous n'avons d'autre occupation que de jouer aux cartes ou de dormir. Les nuits sont longues et le sommeil souvent difficile. Le troisième jour en mer, très tôt, de grands vents s'élèvent sur l'océan. Les vagues font tanguer le navire. Ce roulis constant est désagréable. Les ponts ne sont jamais à l'horizontal. Plusieurs d'entre nous sont pris de malaises. Le mal de mer est du voyage.

La tempête secoue le *Queen Elisabeth I*. La proue du paquebot plonge dans la mer. Des trombes d'eau s'abattent sur les ponts. La poupe se soulève et le navire semble s'immobiliser un instant. Les grandes hélices tournent dans le vide, faisant vibrer toute la coque. À chaque nouvelle vague, j'appréhende le désastre. À l'aube, la tempête diminue. Ma peur terrible s'estompe. Lentement, le navire se sort des cascades d'eau.

Cinq jours se sont écoulés depuis notre départ de New York. Nous approchons de la mer d'Irlande. Le bateau ralentit et des avions le survolent jour et nuit. Nous voyons de nombreux oiseaux de mer. Nous le savons : la terre n'est plus loin. Il y a 15 000 militaires à bord qui ont très hâte d'arriver enfin à Greenock.

À la tombée de la nuit, nous voyons les côtes écossaises se dessiner à l'horizon. Le lendemain, nous approchons de la rade de Greenock. Plusieurs navires escortent le *Queen Elisabeth I*. J'ai la sensation d'avoir gagné un combat. Avec son escorte, notre navire lui-même me semble désormais invincible et j'en oublie presque l'humiliation que la mer lui a fait subir.

Le *Queen Elisabeth I* est ancré au large. Le débarquement des troupes dure tout le jour et une partie de la nuit. À bord de la navette qui m'amène finalement à quai, je mesure mieux les dimensions gigantesques du bateau qui nous a conduits jusqu'ici. Mais lorsque j'arrive près du rivage, il ressemble au loin à un petit navire docile tirant sur ses ancres. Je le regarde une dernière fois.

Une multitude de trains sont en gare et nous attendent. Les locomotives et les wagons d'ici nous semblent si petits en comparaison des nôtres au Canada. Après une attente de plusieurs heures, c'est le départ. « *All aboard for Bournemouth... all aboard...* », de crier le chef de train. Nous sommes déçus de ne pas voir tout de suite d'avions ennemis, de ne pas connaître encore le théâtre de la guerre. Nous ne voyons même pas de soldats anglais.

Notre convoi roule dans la nuit. Pas une lumière, pas une seule lueur. C'est le black-out. Épuisés par la mer, nous trouvons le sommeil dans le confort de notre compartiment. Nous voyageons toute la nuit sans rien voir. Au petit jour, le train ralentit et s'arrête dans un crissement de métal. Whitmore Station. Une heure de pause pour le petit déjeuner. Le train en profite pour se ravitailler en eau et en combustible.

La journée est splendide. Le ciel est bleu et la verdure éclatante. Des fleurs, partout, embellissent la petite gare. Tout est beau et nous sommes en guerre. Je marche sur le quai avec mes compagnons. Pour la première fois, je m'adresse à un Anglais dont l'accent me rend les mots un peu difficiles à saisir :

— *Good morning, Sir.*

— *Good morning to you, lad. You are from Canada ?*

— *Yes Sir. We arrived last night in Scotland.*

— *Welcome to England and our village of Whitmore.*

— *Where is the war ?*

Avec un grand sourire, il me répond qu'il espère ne jamais la trouver sur son chemin. Je suis arrivé depuis bientôt 24 heures et je n'ai vu ni soldats, ni avions amis ou ennemis. Où se déroule cette guerre ? Suis-je en Angleterre, oui ou non ?

Le chef de gare regarde avec beaucoup de sérieux sa montre de poche et scrute le ciel. Peut-être sait-il que des avions ennemis approchent ? D'un pas martial, il se dirige vers trois grands paniers d'osier sur le quai. Il consulte sa montre à nouveau puis ouvre les paniers. En sortent des pigeons qui s'envolent dans toutes les directions. Le chef de gare note méticuleusement dans son calepin l'heure du départ des oiseaux.

— As-tu vu ça, Gilles, tous ces pigeons ?

— Oui, mais je ne comprends pas à quoi ils servent !

— Il y a des gens pour qui c'est un hobby d'élever des pigeons voyageurs [1]. À Picton, chez nous, j'ai un voisin qui les fait voyager partout en Ontario. Ils doivent aimer ça ici aussi.

Le train reprend sa route. Il traverse les villes et les villages, siffle pour annoncer sa présence au fil de

1. Les pigeons voyageurs étaient employés comme moyen de communication par les services secrets britanniques, français et allemands.

paysages de plus en plus verdoyants. Nous arrivons enfin à Bournemouth, ville de villégiature en bord de mer.

Le soleil est radieux, la mer est belle. L'hôtel Earl's Court où l'on nous installe me paraît d'un très grand confort. Tous les hôtels ont été réquisitionnés par le gouvernement. On y loge les aviateurs des dominions et des colonies de l'Empire. Toutes les maisons et les hôtels des alentours sont peints de couleurs pastel, qui leur donnent un air de vacances. Les gens qui profitent des lieux sont nombreux et ne semblent pas gênés du tout de la présence de tant de militaires. Drôle de guerre.

Des affiches nous avisent pourtant que des raids surprise des chasseurs allemands peuvent survenir à tout moment, et donnent des consignes sur la conduite à tenir le cas échéant. Je n'y accorde pas beaucoup d'attention. Rien ne me semble laisser présager un quelconque danger. Les soldats et les véhicules militaires patrouillent dans la ville. Des fils barbelés couvrent les plages et des canons pointent vers la mer. Je vois des avions de toutes sortes parcourir le ciel. De gros avions Sutherland amerrissent et décollent à quelques milles de Bournemouth. Mais tout cela pour rien, me semble-t-il.

À la radio, on peut entendre en anglais des nouvelles qui viennent d'Allemagne. Quelques aviateurs groupés autour d'une radio écoutent avec attention.

— Que se passe-t-il, Édouard ?

— C'est Lord Ha ! Ha [2] ! Un traître anglais qui transmet des bulletins de nouvelles de Berlin.

2. Traître anglais qui diffusait de la propagande à la radio allemande. Il fut exécuté après la guerre.

À ma grande surprise, le traître en question souhaite la bienvenue aux Canadiens nouvellement arrivés à Bournemouth. Je n'en crois pas mes oreilles. C'est donc vrai, toutes ces affiches au sujet des espions qui nous surveillent.

L'entraînement finit par débuter. Je passe des tests en chambre de décompression. Les médecins, à travers les hublots, vérifient notre aptitude à voler en haute altitude. Tout va bien en ce qui me concerne.

Je vais être transféré à une école appelée Operational Training Unit (OTU [3]). Je volerai avec des appareils Wellington dans le Gloucestershire. Voilà déjà venu le temps de me séparer de mes nouveaux compagnons.

Quelque temps après, tandis qu'Édouard et moi marchons sur la plage, un bruit strident retentit. Les sirènes ! C'est ma première alerte ! En toute hâte, les gens se précipitent en direction des abris, des rez-de-chaussée des hôtels et des immeubles. Nous, nous restons d'abord figés sur place comme deux idiots. Nous voyons bientôt apparaître deux avions volant en rase-mottes au-dessus de la mer. Ils nous semblent inoffensifs et se dirigent vers la ville. Ils passent au-dessus de nos têtes et commencent à mitrailler le sol. Deux explosions retentissent et les avions ennemis font un virage serré à la hauteur des toits. À pleins gaz, ils retournent vers la mer. Estomaqués, nous n'avons pas bougé d'un poil, complètement saisis par la vitesse des événements. « *What the hell was this ?* » finit par demander un aviateur australien, tout aussi surpris que nous. Nous venons de faire connaissance avec les Messerschmitt basés en Normandie.

3. École pour l'entraînement des équipages.

Quelques minutes plus tard, des Hurricane anglais se ruent à la poursuite des Messerschmitt. Heureusement, les bombes allemandes ont causé peu de dommages. Les pompiers et le service de sécurité sont à l'œuvre. En moins d'une demi-heure, tout revient à la normale. Hier des pigeons, aujourd'hui des chasseurs. C'est vraiment la guerre.

CHAPITRE 6

APPRENDRE À VOLER

En route vers le mess pour le repas du midi avec les copains, on s'attarde au *bowling green*. À cet endroit, les joueurs habillés de costumes blancs lancent des boules sur des pistes de gazon. Les spectateurs n'osent faire aucun bruit de peur de troubler leur concentration. On entend des « *good shot !* » discrets et des applaudissements presque inaudibles. Il y a une discrétion toute anglaise que je découvre peu à peu.

Le temps passe doucement pour les aviateurs pendant leur séjour à Bournemouth. La ville balnéaire est d'un calme très ennuyeux. Elle est occupée par des gens plutôt âgés que les bombardements ont chassés de leurs demeures.

Édouard et moi passons pas mal de temps ensemble. Édouard est le fils du notaire Jean de L'Islet-sur-Mer. Grand et mince, cheveux noirs et frisés, blagueur et pince-sans-rire, il est un peu rebelle face à ses supérieurs. Jadis, il a fait la vie dure aux frères du collège du Sacré-Cœur de Montmagny où il avait été admis après avoir été expulsé du collège de Sainte-Anne-de-la-Pocatière, où ses frères poursuivaient leurs études supérieures. Son comportement avait mis ses parents au désespoir.

Quelques semaines à peine après nous avoir réunis, le destin nous sépare à nouveau Édouard et moi. Nous nous quittons à la gare. Je prends le train pour Stratford et Édouard celui de Londres. Édouard se dirige vers Little Rissington afin de poursuivre son entraînement comme pilote sur les bombardiers. Moi, je pars pour l'OTU de Stratford afin de parachever mes cours de mitrailleur.

Le train pour Stratford traverse des régions de collines, des villes et des villages. Les fleurs, toujours abondantes, colorent les maisons, les gares et les jardins. Tout est baigné de lumière sous un ciel bleu azur. Aucun signe de guerre. Rien de rien. On aperçoit parfois un convoi militaire arrêté sur une petite route par notre passage. Guère plus.

Un autobus militaire attend les aviateurs à la gare de Stratford pour les conduire à la base aérienne. Leur *kit-bag*[1] contient la totalité de leurs biens. Chacun se comporte comme un simple touriste à la vue des beautés de la ville de Shakespeare. À la barrière de la base, les gardes vérifient les papiers. L'officier du jour[2] et son sergent indiquent aux aviateurs les baraques qui leur sont assignées. Ce sont les *dispersal units*[3], situées autour du camp. Le bruit constant des moteurs d'avions devient comme une musique à nos oreilles. « *All gunners will report to the gunnery officer. At seven o'clock tomorrow* », hurle le sergent.

1. Fourre-tout.
2. De l'anglais *officer of the day*, c'est-à-dire officier de permanence.
3. Habitations pour les aviateurs dispersées sur les fermes près de l'aérodrome.

Le principe des *dispersal units* est de minimiser les dangers lors d'attaques surprise par les bombardiers ou les chasseurs ennemis. Ce sont des huttes de métal connues sous le nom de *Nissen huts*. On les éparpille ici et là sur les fermes. Elles sont reliées par d'étroites pistes de macadam qui débouchent sur d'autres pistes permettant d'accéder aux salles communes, aux douches et aux toilettes. Mal chauffées, elles sont toujours humides et froides.

J'ai le lit n° 10. Je demande son nom à mon voisin de chambrée. Il s'appelle Russell. Il est navigateur. Il est originaire de Colombie-Britannique. Grand, les cheveux noirs, un bien solide gaillard que ce Russell. Je lui envie sa stature qui doit plaire aux filles.

Les échanges sur leurs noms, métiers et origines se poursuivent entre les 10 occupants de la chambrée. Nous provenons de tous les coins de l'Empire britannique. La langue anglaise, comme toujours, est de rigueur.

— *War starts tomorrow*, dit Russell.

— Tu as raison, maintenant c'est pour de vrai...

— *What did you say ?*

La première séance de briefing entre les mitrailleurs et les instructeurs est brève. Nous aurons une semaine de théorie et apprentissages de base et trois semaines d'entraînement sur des bombardiers Wellington équipés de tourelles Boulton Paul [4] armées de quatre mitrailleuses Browning. C'est tout.

Au début, on nous apprend le maniement de simples carabines Remington, Garant et Enfield.

4. Nom de la compagnie qui fabrique les tourelles pour les mitrailleuses.

Nous apprenons la façon de démonter et assembler en une minute les culasses. Par la suite, nous passons à l'étude des mitrailleuses Browning. Les cours théoriques nous enseignent les effets de la gravité, la résistance de l'air sur la vélocité des balles et la façon d'atteindre des cibles en mouvement. Les cours de maniement des armes ont lieu dans un champ de tir, selon des pratiques strictes régies par une grande discipline militaire. Premier ordre : « Il est interdit de tuer ou de se faire tuer ici », hurlent nos instructeurs. « C'est pour plus tard et ailleurs qu'ici, compris ? ! »

Pendant des heures, nos instructeurs nous harcèlent de questions. Ils nous font enlever et replacer les culasses, enfiler des balles en un interminable chapelet, charger les mitrailleuses, les mettre en arrêt, enlever les chapelets de balles, et ceci toujours plus vite. Le champ de tir est bruyant, l'odeur de la cordite irritante. Pour notre part, nous n'avons pas encore tiré une seule vraie balle. Épuisés, nous sommes heureux de retourner à notre baraque égarée sur la ferme, où nous sommes accueillis par des chants d'oiseaux.

— *How did it go today ?* demande Russell.

— Je n'ai pas tiré une seule balle. *Practice only ! Load and reload.*

— *What did you say ?*

Les heures et les jours passent vite tandis que nous allons de la théorie à la pratique. Nous devons démontrer notre savoir-faire au champ de tir. Des milliers de pigeons d'argile sont abattus à coups de fusils de chasse par les apprentis guerriers. Ces cibles mouvantes sont autant d'avions ennemis s'échappant de leur ligne de mire. Ces journées sont harassantes.

— *Russell, I had quite a day with rifles and machine guns.*

— *Lucky you. It must be exciting. My day was spent on the Dalton rule.*

Nous sommes tous pris dans un tourbillon de nouvelles connaissances que nous devons assimiler très rapidement. Le temps de l'insouciance est terminé. Les instructeurs sont sévères et exigeants. Les erreurs ne sont guère tolérées. Un climat de stress s'installe. La réussite ne dépend que de nous, et la pensée d'un échec est intolérable, car la sanction, terrible, est le retour pur et simple vers le Canada. Nous sommes tous des volontaires dans cette guerre. Il nous faut prouver que nous sommes les meilleurs.

Tous les jours, je dois traverser la ferme des Lindsay pour me rendre à mes cours et en revenir. Parfois, au loin, je vois une fille dans les champs. Elle conduit un tracteur ! Je lui fais des saluts avec mon képi. Elle m'envoie la main en retour. Un matin gris et triste, je la retrouve toute souriante adossée à une clôture le long de mon chemin.

— *Hi there ! aviator.*

— Bonjour !

— *You are French ? Do you speak English ?*

— *I am French Canadian and I speak English.*

— *My name is Clara, what is yours ?*

Mon nom ? Voilà tout une question ! J'ai été baptisé Gilbert, mais mes frères, mes sœurs et mes amis m'appellent Gilles. Ce nom pour les Anglais devient Guilles. Je n'aime pas ce nom. J'ai donc pris l'habitude de me prénommer Gill, ce qui est plus facile à prononcer pour eux.

Clara est grande et de forte taille. Ses cheveux bruns sont noués sur sa nuque et ses yeux noisette sont rieurs. Elle parle avec un accent que je ne connais pas. Les mots hésitent dans sa bouche, mais se libérant, ils sonnent doux à mon oreille. Elle m'invite à prendre un verre de cidre en sa compagnie ! Je réponds sans hésiter : « Au retour de mes cours seulement ! *This afternoon, around four o'clock.* »

Vers 16 heures, elle ouvre la barrière et m'invite à la suivre. Je suis étonné de la voir se diriger vers une grange délabrée au toit de chaume. Nous sommes accueillis par des poules, des oies et des canards qui quittent bruyamment les lieux en battant des ailes. Une fenêtre tamisée de toiles d'araignées laisse pénétrer une douce lumière. « *My cider is up there with the hay !* »

Une échelle de quelques barreaux nous mène au fenil qui déborde de foin. Assise sur une botte de foin, cruche à la main, elle remplit deux gobelets de cidre. Nous trinquons tout en faisant la conversation. Ses frères plus vieux sont déjà à la guerre. L'un d'eux est au Moyen-Orient tandis que le plus jeune est dans la marine sur l'océan Pacifique. Elle est seule avec ses parents à s'occuper de cette ferme. Les vaches, le tracteur, les poules, les oies et les cochons forment son univers. Elle attend la fin de la guerre et le retour de ses frères pour retourner aux études. Je lui parle de ma famille. Elle connaît peu le Canada et ignore qu'il y a des gens qui parlent français dans cette colonie. Elle prend ma main, m'attire vers elle et m'embrasse. Le cidre aidant, nous nous engageons dans un crescendo de gestes amoureux qui nous font vite tourner la tête. Un besoin d'oxygène interrompt nos manœuvres.

— *Let us be careful, Clara. You know ! Babies...*

— *You must be a Catholic ! Don't worry I have what is necessary... Gill, can you come on Sunday ?*

— Mais oui ! À quelle heure ?

— *At ten o'clock, we will be alone. My parents will have gone to church.*

Après une dernière étreinte, je quitte la ferme pour rejoindre mes compagnons à la baraque.

— Russell, demain je ferai mon premier vol et des exercices de tir sur un grand manchon de coton tiré par un avion. *But, tell me what is a « coil » that women have ?*

Russell rit de toutes ses belles dents et me dit :

— *You are a Catholic ?*

— *Yes, but what does it have to do with a « coil » ?*

— *Don't you know that our women can avoid pregnancy with it ? It's forbidden by Catholics, right ?*

J'évite de poursuivre la conversation sur ce sujet de peur de montrer encore plus d'ignorance. Un stérilet, je ne sais pas encore ce que c'est.

Russell n'en continue pas moins à me parler de ses vols, comme si de rien n'était. « *So, today, I had my first flight and tried out a triangular course of navigation. It went pretty well. The instructor was satisfied with my results.* » Nous sommes tous totalement absorbés dans l'apprentissage de notre métier. Aucune permission ne nous a été accordée depuis notre arrivée.

Dimanche. J'ai rendez-vous avec Clara. . . Je me rends à la ferme à 10 heures, tel que convenu. Elle est à la barrière, accompagnée de ses canards et de ses oies.

— *Gill, my parents have gone to church in Atherstone on Stour*, me dit-elle. *We will be alone.*

Escortés par les résidants de la basse-cour, main dans la main, nous allons à la grange et nous grimpons au fenil.

— *Gill, let's have some cider !* me dit-elle.

— *No Clara, I had such a headache the other day that it took me hours to get rid of it.*

Après de multiples caresses et de longues embrassades, elle s'allonge sur le lit de foin qu'elle a à l'évidence soigneusement préparé. Nous enlevons nos vêtements. Le teint bronzé de son visage et de ses bras contraste avec la peau blanche de son corps. Je la découvre autant de mes lèvres que de mes mains. Ses yeux brillent. De sa bouche sortent des sons enivrants qui alimentent mes désirs. Abandonnés à de grandes jouissances, nous perdons peu à peu nos forces qui renaissent à nouveau, nous entraînant dans d'autres rythmes amoureux.

Couchés dans le foin, tout près l'un de l'autre, nous reprenons nos esprits. Comme je veux m'éloigner un peu d'elle, je m'appuie sur une balustrade qui cède aussitôt et me voilà, tête première, prêt à culbuter vers le plancher des vaches. D'une main forte, Clara m'attrape par une cheville et arrête ma chute. Le chien aboie. Les oies, les canards et les poules se ruent vers la sortie de la grange comme s'il y avait le feu. Seul le chien reste mais ne cesse pas pour autant de japper.

— *Benny, stop that*, dit Clara.

Il se tait, branle la queue et me lèche le visage. Me voilà nu, cul par-dessus tête, pendant que Clara me retient avec vigueur. Je saisis un barreau de l'échelle et je reprends mon équilibre. Elle lâche prise et je regagne le fenil. Cette fois-ci, je ne refuse pas le cidre. Un fou rire incontrôlable s'empare de nous. Le chien jappe de joie. Les oies et les canards reviennent tranquillement dans la grange. Seule la truie semble indifférente à tout cela.

En riant, nous rejouons la scène de la chute et du sauvetage effectué par Clara, ma puissante amazone. J'imite les aboiements du chien. Suit une imitation réussie des oiseaux de la basse-cour, pris de panique.

Les voilà qui prennent tous nos applaudissements et nos rires pour des menaces et quittent à nouveau la grange, plus inquiets que jamais. Nous rions tellement que nous en avons mal partout. Que la vie est belle !

Vidés de toute énergie, couchés sur le foin, nous sombrons bientôt dans le sommeil. Je quitte Clara alors qu'elle est encore endormie pour retourner à ma *Nissen hut*. En chemin, je m'arrête quelques instants pour cueillir des marguerites. Mes compagnons sont sortis pour manger lorsque j'arrive enfin. Épuisé, je m'endors sans même enlever mes vêtements. Je connais l'amour et c'est pourtant la guerre.

Je ferai la nuit prochaine mon premier vol de nuit. Deux élèves navigateurs nous accompagnent dans le vieux Wellington, ce qui porte notre équipage à sept aviateurs. Je ne connais personne du groupe. Nous décollons pour un *cross-country* de trois heures. Pour la première fois, je suis à mon poste de mitrailleur, dans la tourelle, seul, en pleine nuit. Le pilote fait un appel à tous, les moteurs démarrent en trombe et nous quittons l'aire de stationnement. Il est 3 heures du matin. La nuit sans lune est d'un noir opaque. D'autres bombardiers Wellington roulent vers la piste. Le pilote met les gaz, l'avion accélère et, assis dans ma tourelle, je suis le premier à quitter le sol. Le bruit est intense, mais il diminue une fois les roues rentrées dans le fuselage. Nous atteignons bientôt la vitesse de croisière. Je parcours le ciel du regard, pointant mes mitrailleuses armées ici et là, dans l'éventualité d'une attaque menée par un chasseur allemand à l'affût de proies faciles.

Nous survolons la mer d'Irlande. N'ayant aucun point de repère et en dépit du bruit intense des moteurs qui m'assure que nous avançons, j'éprouve une sensation d'immobilité dans ma tourelle. Parfois un phare, ici ou là, éclaire faiblement la nuit. Nos bombardiers voyagent en aveugle. Par souci de discrétion, ils n'affichent aucun feu de position. À l'intercom, j'entends l'instructeur qui transmet constamment à ses étudiants navigateurs des connaissances essentielles à la navigation aérienne.

Dans ma tourelle à l'arrière du fuselage, j'ai la sensation d'être détaché de l'avion. Des peurs s'éveillent et grandissent en moi : peur de la nuit, du bruit, de l'isolement, du froid, de la mer, du trou noir dans lequel je voyage.

L'idée du corps de Clara, encore près de moi, me calme quelque peu. Elle me ramène à la joie, à la vie, à la certitude qu'il y aura de nombreux autres rendez-vous sous ce toit de chaume. Il est 7 heures, l'aurore chasse la nuit. Le temps s'annonce beau et doux alors que des nuages solitaires dérivent vers le soleil levant. L'atterrissage se fait en douceur. Mon vol de nuit, le tout premier, s'est déroulé sans histoire.

Au petit déjeuner, l'adjudant nous dit que le commandant de la base désire nous parler. Le voici. Nous l'écoutons.

— Messieurs, j'ai le regret de vous annoncer que deux de nos bombardiers sont entrés en collision au-dessus de la mer d'Irlande. Nous n'avons retrouvé aucun survivant. Les officiers du service de la sécurité vous interrogeront pour trouver des témoins de l'accident.

Quatorze aviateurs ont plongé dans la noirceur de la mer d'Irlande au moment même où je partageais le ciel avec eux. La nuit en apparence si calme portait aussi en elle l'enfer. Le bonheur de la vie ordinaire se berce-t-il ainsi sans cesse dans les bras des grands drames dont nous ignorons pour un temps l'existence ?

Comme notre équipage n'a pas été témoin de la catastrophe, nous pouvons retourner au campement. Je suis inquiet. J'ai mal. Je ne peux comprendre qu'ils soient tous morts aussi bêtement. Ce n'était qu'un simple vol d'entraînement, une balade dans la nuit. La nuit les a engloutis. Je tremble à la pensée que ça aurait très bien pu être moi. Tout serait fini. Je ne reverrais plus ma famille. Dans quelques heures, Papa recevrait un message de l'armée annonçant ma disparition.

Ces dernières heures, j'ai vécu de tout mon être des moments intenses. Maintenant, j'ai mal partout tout en n'ayant mal nulle part. Mon cœur et mon esprit s'emballent. Je transpire abondamment. Je pleure d'un désespoir dont je ne connais pas tous les affluents. Je suis pris d'un sentiment étouffant de solitude sans fin. Je suis abasourdi.

J'emprunte ce matin-là le sentier habituel en direction de ma hutte militaire. Au loin, je vois la ferme des Lindsay et je suis surpris d'apercevoir Clara à la barrière. Je ne souhaite pas la voir, je veux être seul. Mais elle tient à me parler.

— *Gill, my father has received a telegram that my younger brother Rodney has been killed in the Pacific.*

Je prends sa main dans la mienne. Je fixe mon regard dans ses beaux yeux noyés de tristesse et je m'éloigne sans rien dire. Je ne peux rien lui dire. J'ai envie de courir, de fuir, de disparaître. Je n'arrive pas à partager sa tristesse. J'ai trop mal, je suis perdu. Je voudrais revoir ma famille. Je veux rentrer au pays. La mort est tellement insensée et hasardeuse.

À ma hutte, je trouve le silence dont j'ai besoin. Je n'ai qu'un désir : me coucher au plus vite. Mais un copain vient me trouver : « *Gill, your bunkmate Russell was killed in the collision tonight.* » Russell, lui aussi, était au mauvais endroit au mauvais moment. Russell est mort, hors de toute signification. Il est mort pour rien, presque par hasard. Une collision entre deux avions à l'entraînement... Et il est mort.

Affolé, en sanglots, j'enlève machinalement mes chaussures et ma tunique. Je tombe sur le lit. Un hallucinant vertige s'empare de mes sens et m'entraîne dans un profond sommeil vide de rêves et de cauchemars. Je plonge dans le néant du haut d'un ciel qui n'a su retenir mes compagnons.

Notre entraînement arrive à terme malgré tout. Les pilotes, navigateurs, les opérateurs radio, viseur de lance-bombes et mitrailleurs sont en principe prêts. Le moment est venu de former des équipages. C'est au pilote que revient cette tâche difficile. Pour chacun, voici l'occasion de se choisir une famille.

Les finissants sont réunis dans le mess et les pilotes désignent leurs choix de navigateurs, opérateurs radio, viseur de lance-bombes et, en dernier lieu, de mitrailleurs. Cette cérémonie ressemble à une sorte de grande foire pour le choix de partenaires à l'occasion d'un bal gigantesque.

Le sergent pilote Charles Gauthier me pointe du doigt. Je rejoins le sergent Al Craig, navigateur, le sergent Jos McCrat, viseur de lance-bombes, le sergent Ian McCubbrey, radio. Je ne les connais que de vue. Pendant plus de 50 heures, nous allons voler ensemble afin de coordonner nos connaissances. Le temps est venu de quitter l'école et de gagner la guerre.

CHAPITRE 7

AU MAGHREB

NOTRE ENTRAÎNEMENT DE 50 heures terminé, l'adjudant nous informe que nous sommes mutés à la Ferry Training Unit n° 311[1], à Moreton-in-Marsh, dans le Gloucestershire, afin de compléter nos études. Irons-nous jamais à la guerre ?

Ensuite, nous devons rejoindre l'escadrille 425 de l'Aviation royale canadienne, nommée « Les alouettes ». L'escadrille est alors basée en Afrique. Des vêtements légers pour les Tropiques nous sont remis pour remplacer nos uniformes de lainage bleu. On me remet un revolver Smith & Wesson de calibre .38 que je dois porter lors des raids aériens.

Nous allons prendre possession de notre bombardier Wellington MK III directement à la compagnie Vickers Armstrong à Weybridge, dans le Surrey. Nous voyageons par train dans les collines fleuries de cette Angleterre qui n'a décidément rien d'un territoire en guerre. À notre arrivée, l'officier du jour nous prend en charge. Nous sommes étonnés de voir des femmes en tenue d'aviateur attablées pour l'*afternoon tea*.

1. École d'entraînement pour vols long-courriers.

Notre accompagnateur nous informe que ces femmes de la haute société britannique sont des pilotes volontaires qui font le convoyage des avions du manufacturier vers les escadrilles disséminées en Écosse, au pays de Galles, en Angleterre et en Irlande.

Sans aucune gêne, je me dirige vers leur table. Dans mon anglais saturé d'accent français, je me présente comme je peux. Elles m'invitent à prendre le thé. Elles me racontent leur travail. Je suis très surpris que les autorités confient à ces femmes la charge d'avions militaires. Manque-t-il de pilotes militaires ? La guerre tournera-t-elle mal pour nous ? Il ne me vient pas à l'idée que des femmes peuvent faire ce travail.

Notre avion est identifié par un L. Selon le code militaire, l'appellation « L » correspond à « LOVE ». Il est assez curieux de partir en guerre avec un avion prénommé *Love*... Nous voici donc à bord du *Canadian Wellington Love*.

Cet avion a été peint dans les couleurs ocrées du désert afin de mieux nous camoufler. Nous volons encore de nombreuses heures avec notre nouvel appareil afin de perfectionner nos connaissances en navigation pour le vol sur de longues distances.

Parfois, nous survolons la mer d'Irlande, là même où, quelques semaines auparavant, Russell, mon compagnon de chambrée, est disparu. Je me rends compte que le souvenir de son visage s'estompe déjà de ma mémoire. Notre mémoire se vide bien vite de ses images comme les corps se vident de leur sang.

Lors d'un vol d'endurance, nous pénétrons dans un nuage à l'apparence inoffensive qui malmène finalement notre bombardier avec une telle violence que le pilote en perd le contrôle. À une hauteur de

15 000 pieds, le bombardier est viré sens dessus dessous et perd de l'altitude à une vitesse inouïe. Après quelques secondes qui nous ont semblé interminables, notre Wellington se redresse et retrouve son assiette normale à moins de 3 000 pieds du sol. Il s'en est fallu de peu que ce soit la catastrophe.

L'incident n'est pas pris au sérieux par les mécaniciens jusqu'au moment où le navigateur indique aux ingénieurs que notre boussole a perdu le nord. Une inspection minutieuse révèle que la structure métallique géodésique de notre appareil est totalement magnétisée. Pas de chance : notre avion sera cloué au sol pendant plusieurs jours. L'adjudant nous accorde alors une permission de trois jours.

Mon désir le plus cher depuis mon arrivée en Angleterre est de pouvoir enfin visiter Londres, capitale de l'Empire. Je veux voir le roi et la reine ! Ils sont venus au Canada, mais pas chez moi ! Je veux voir George VI et la reine Elizabeth, ainsi que leurs deux filles, Margaret et Elizabeth ! Ils sont tous à Londres. La famille royale ne quitte jamais la ville, malgré les bombardements. Depuis la défaite de la France, seule l'Angleterre résiste à l'Allemagne nazie. Winston Churchill a dit à ses concitoyens qu'il n'avait à leur offrir que du sang, de la sueur et des larmes. Jamais la Grande-Bretagne ne se rendra aux nazis ! L'idée que je me fais de Londres est à la mesure de l'impression que me fait la famille royale, capable de faire preuve d'une résistance totale.

Je profite donc de ma permission pour m'embarquer dans un train en direction de Londres. Les trains anglais sont très confortables. Les wagons sont divisés en compartiments de six passagers, dotés d'une porte donnant accès aux plates-formes d'embarquement.

Les locomotives crachent sans cesse une fumée noire. Les Anglais n'hésitent pas à ouvrir les fenêtres malgré cette fumée incommodante. Les cris stridents des sifflets de la locomotive se perdent dans la campagne pendant que nous filons à vive allure.

Arrivé en banlieue de Londres, je constate tout de suite les dommages causés par la Luftwaffe[2]. Ici, la guerre existe vraiment. Des murs de briques écroulés, des maisons éventrées, des manufactures sans toit bordent la voie ferrée. À la gare Victoria, l'animation est vive et la foule est si dense que je ne remarque même pas les dégâts causés par les bombardements. Par contre, je vois de grandes affiches invitant les citoyens à se méfier des espions, tandis que d'autres les incitent à donner leurs chaudrons d'aluminium qui seront transformés en hélices d'avions. La guerre a fait son nid dans la capitale.

Au kiosque d'information, la préposée me guide vers l'hôtel Maple Leaf. Je m'y rends en empruntant les *Tube trains*, c'est-à-dire le métro, et les *double deckers*, ces autobus à deux étages. Je monte bien sûr au deuxième pour profiter d'un meilleur point de vue sur la ville dévastée. Des milliers de sacs de sable ont été installés devant les entrées du métro, les grands édifices, les hôtels, les monuments et les vitrines des grands magasins. Descendu de l'autobus, je demande mon chemin à un *bobby*[3] qui s'empresse de m'indiquer où se trouve mon hôtel.

De ma chambre, je téléphone à la mère de Wendy, l'amie de Raymond Béchard tué le 8 février 1942

2. Armée de l'air allemande.
3. Gendarme non armé de Londres.

lors d'un vol d'entraînement. Avant mon départ de Montmagny, le père de Raymond, Philippe Béchard, président de la compagnie A. Bélanger ltée, m'avait donné le numéro de téléphone de cette femme afin que je puisse la contacter en cas de besoin. Je lui explique donc qui je suis et elle me raconte que sa fille est membre de la Marine royale et qu'elle travaille à l'amirauté, située au Marble Arch. Wendy me retrouve pour le *high tea* à mon hôtel. Les filles de la Marine royale, connues sous le nom de WREN, sont habillées d'un élégant tailleur qui fait l'envie des autres femmes des forces armées.

Coiffée du béret de la marine, cheveux noirs, yeux gris-vert, Wendy est ravissante dans son uniforme qu'elle porte avec élégance. Elle me parle de Raymond, des quelques jours qu'ils ont passés ensemble avant la tragédie. L'avion de Raymond a percuté une montagne. Les membres de l'équipage ont tous péri. On a enterré son corps, « avec tous les honneurs militaires », au cimetière de Silton, à Carlisle dans le Cumberland, près de l'Écosse.

Wendy propose de me servir de guide à Londres, proposition que j'accepte avec joie. Tôt le lendemain, nous partons comme des touristes pour visiter la capitale. Empruntant tout à tour des autobus, le métro et des taxis, nous visitons le Parlement, la Tour de Londres, le Marble Arch, le palais de Buckingham, le London Museum et Hyde Park. À Trafalgar Square, l'amiral Nelson, du haut de sa colonne, guette les centaines de pigeons que les badauds nourrissent continuellement. Nous achetons sur la rue des *fish and chips* et nous allons prendre le thé au Piccadilly Circus. La statue d'Éros, symbole absolu de l'érotisme, cache sa nudité sous des sacs de sable. Même Éros doit se protéger des attaques venues du ciel !

Épuisés par nos visites, nous entrons dans un magnifique pub. Les clients parlent à voix basse tout en dégustant leur bière. Les gens sont calmes, polis et d'une discrétion surprenante. Wendy raconte que c'est un endroit idéal pour les espions. Durant la soirée, nous assistons à un spectacle musical au grand cabaret The Windmill au Piccadilly Circus. Celui qui n'a pas assisté un jour à un spectacle burlesque joué par de si jolies filles nues ne peut se vanter d'être vraiment allé à Londres !

Tard en soirée, Wendy est désormais serrée tout contre moi tandis que nous avançons dans la nuit noire. Nous parlons de nos familles respectives. De faibles lumières au sol éclairent à peine nos pas. Le black-out est pris très au sérieux. Nous nous arrêtons souvent pour nous enlacer. Lorsqu'on arrive à l'hôtel, Wendy accepte de passer la nuit avec moi. Tard dans la nuit, le bruit strident des sirènes sonne l'alerte. Des bombardiers allemands approchent. Les consignes de sécurité de l'hôtel obligent les clients à se réfugier au sous-sol ou encore dans les stations du métro. C'est une nouvelle expérience pour moi, mais pour Wendy il s'agit d'une menace devenue routinière. Qu'importe les bombes ! Wendy ne veut pas quitter la chambre. Nous ouvrons plutôt bien grand les rideaux de la fenêtre pour observer les faisceaux de lumière de la DCA qui traquent l'ennemi. Les coups de canons antiaériens font trembler les fenêtres. Le raid a lieu dans l'estuaire de la Tamise, c'est-à-dire près de l'hôtel. Le bruit des moteurs des bombardiers, des bombes et des explosions nous apeurent et nous fascinent à la fois. Au bout de 30 minutes, le calme revient. Nous fermons les rideaux. Nous retournons au lit. Nous ne sommes pas morts. La vie continue.

Au déjeuner, j'apprends à Wendy que je partirai bientôt pour l'Afrique.

— Qu'arrivera-t-il de toi ?

— Je reviendrai, lui dis-je.

— Les aviateurs ne tiennent pas leurs promesses, me dit-elle.

Je hèle un taxi et je la dépose à son bureau, au Marble Arch. Puis je me rends à la gare Victoria pour retourner à ma base. Mon voyage à Londres est terminé.

Dès mon retour au camp, l'adjudant nous annonce que notre avion est de nouveau prêt à voler. Des réservoirs de longue portée ont été installés dans la soute à bombes. Le départ pour Portreath est prévu pour le lendemain, ce qui me prend quelque peu par surprise. Je suis forcé d'abandonner les vêtements que j'avais apportés à la blanchisserie... Comment récupérer mes quelques biens ? Je prends la chance d'afficher sur un babillard une note demandant à Raymond Barry, ami de ma sœur Magdeleine, de récupérer mes affaires et de les apporter si possible en Afrique avec lui. C'est un peu comme si je lançais une bouteille à la mer à la veille de m'envoler.

Portreath est situé dans le Cornwall, au sud de l'Angleterre. Le voyage ne dure que deux heures et demie et le vol nous fait voir les comtés fertiles de Somerset et de Devon. Ce sont les greniers à grains de la Grande-Bretagne. Les riches fermes sont découpées par des clôtures de pierres et de chèvrefeuilles qui serpentent autour des collines et contournent les villages. De ma tourelle, il est facile de voir que ces vieux paysages ne ressemblent en rien aux fermes du Bas-du-Fleuve qui, construites sur des terres en rangées bien serrées, selon le mode de concession des terres de la colonie, s'éloignent du fleuve vers les monts Notre-Dame.

À Portreath, l'officier nous informe que nous ne devons quitter la base en aucun temps. Des centaines d'avions de toutes catégories arrivent ici et repartent aussitôt vers la mer. Le dortoir est meublé de lits de camp de toile. Tout près, il y a un mess. Nous partirons dès demain. Ce soir, au briefing, nous recevrons les ordres et instructions pour ce grand voyage au cours duquel nous survolerons l'océan. Des experts seront présents pour nous donner les dernières informations en matière de navigation, d'attaques de l'ennemi et de conditions météorologiques.

Nous quittons Portreath au matin, à 8 heures, et nous mettons le cap sur les Açores afin de nous éloigner le plus possible des côtes de la Bretagne occupée. Des escadrilles de chasseurs Junker 88 de la Luftwaffe partent en effet des bases aériennes de l'île d'Ouessant, au large du Finistère, pour barrer la route aux avions alliés. L'efficacité des chasseurs de la Luftwaffe est redoutable, plusieurs bombardiers ont été descendus au-dessus de la mer.

Notre ETA (temps d'arrivée estimé) est prévu pour 16 heures à Gibraltar. Après plusieurs heures de vol, nous changeons de cap en direction des côtes nord-ouest de l'Espagne et du Portugal. Ces deux pays ne sont pas en guerre et nous devons rester éloignés de leurs zones territoriales. Selon la convention de Genève, un atterrissage d'urgence se solderait par un internement jusqu'à la fin de la guerre.

Nous volons à une altitude de 15 000 pieds plein sud. Notre vitesse est de 200 milles à l'heure. Nous pouvons observer la côte nord de l'Espagne, puis nous volons parallèlement à la côte portugaise. Le risque d'une attaque par les Allemands diminue, mais reste théoriquement possible. Quelle étrange entente politique protège l'Espagne et le Portugal de la guerre ?

Pendant des heures, nous gardons le cap plein sud sous un ciel radieux et sans nuages. De ma tourelle, j'ai un point de vue unique qui est inversé par rapport aux autres membres de l'équipage. J'observe à ma gauche ce qui est à la droite pour les autres. Au loin, des villes et des villages défilent. Au large, sur la mer, on voit des barques de pêcheurs. Des navires chargés de matériaux de guerre progressent doucement. Ils sont escortés de destroyers qui sillonnent la mer dans le but de les protéger des sous-marins Wolf Pack qui les guettent et qui attendent le moment propice pour les couler. De ma position, ils ne semblent courir aucun danger depuis la mer qui me semble bien calme. Mais des airs, on peut craindre les quadrimoteurs Condor de la Luftwaffe. Venus de France, ils survolent cette mer dans le but de donner la position de ces navires à leurs sous-mariniers.

Au loin, à la pointe sud du Portugal, le cap Saint-Vincent s'avance sur l'océan Atlantique. Il y a à peine quelques mois, identifier ces caps terrestres faisait partie des questionnaires d'examens de géographie à mon collège. Quelle chance de me retrouver ici à découvrir ces terres, assis dans une simple boule de verre !

Nous quittons la côte portugaise et nous longeons à nouveau la côte espagnole. J'ai bientôt en vue la ville de Cadiz, tout en chantonnant, joyeux, une chanson de circonstance : *Les filles de Cadix*. Puis je vois à l'horizon Séville, d'où est parti Christophe Colomb à la conquête de l'Amérique. Encore quelque 200 milles de vol et nous serons à Gibraltar. Le bruit des moteurs, les vibrations, l'altitude sont très fatigants physiquement et nous avons tous hâte d'arriver. Nous n'avons jamais fait un si long voyage à l'entraînement.

Notre télégraphiste entre en communication avec le contrôle aérien de Gibraltar qui nous informe qu'un avion a atterri en catastrophe sur l'unique piste disponible. Celle-ci sera en principe dégagée avant notre arrivée. Nous continuons donc notre approche et nous demeurons à l'écoute tandis que le pilote et le navigateur font l'inventaire de nos réserves de carburant afin de s'assurer que nous pourrons, en cas de nécessité, nous rendre jusqu'à Fez, un aéroport de secours.

Voici Gibraltar qui surgit sur une petite péninsule. Quel spectacle ! D'un seul coup d'œil, j'embrasse cette frontière entre le continent européen et le continent africain qui se dessine. Le djebel Moussa dans le Rif, au Maroc, et ce fameux rocher, en Espagne, représentaient dans la mythologie grecque les colonnes du géant Hercule. Seul un détroit large de neuf milles à son point le plus étroit sépare les eaux de l'Atlantique et de la mer Méditerranée.

Haut de 1 500 pieds, le cap de Gibraltar surgit de la terre en bordure des plaines du sud de l'Espagne. Sa forteresse domine l'extrémité orientale du détroit et contrôle entièrement le trafic à l'entrée de la Méditerranée. Gibraltar est occupé par les Britanniques depuis 1713.

Près de Gibraltar se trouve la ville espagnole d'Algeciras d'où les espions allemands guettent tous les mouvements aériens. Le dictateur de l'Espagne, Franco, est un allié objectif d'Hitler et de Mussolini. C'est grâce à eux qu'il s'est installé solidement au pouvoir.

Pour faciliter notre approche, nous survolons la partie sud du détroit, passant au-dessus du Maroc, territoire colonial français. De là, nous prenons position pour l'atterrissage à Gibraltar. Les couleurs pastel des maisons et le sol rouge de ce pays contrastent avec la verdure de l'Angleterre que nous avons quittée il y a à peine huit heures. Mais impossible d'atterrir. La piste n'est pas encore dégagée. Le contrôleur aérien nous interdit l'atterrissage et nous dirige plutôt vers Raz el Ma, près de Fez, au Maroc.

À l'approche de Raz el Ma, la chaleur à bord devient de plus en plus intense. Mon *battledress* de laine est inconfortable. De ma tourelle, à quelque 1 000 pieds d'altitude, je vois de nombreux petits villages entourés de murets de pierres blanches. Ils sont reliés les uns aux autres par des sentiers tortueux tracés initialement par les dromadaires, les mulets et les moutons.

— *Raz el Ma, this is* Canadian Wellington Love *requesting permission to land.*

— Wellington Love, *Roger, for runway 270°. You are n° 8. Attention! heavy traffic. After landing, follow Jeep.*

Des centaines d'avions en rangées serrées entourent l'unique piste pavée. Selon les instructions, nous suivons la Jeep qui nous escorte à une aire de stationnement. Après plus de neuf heures de vol sous oxygène, nous sommes enfin arrivés. Les moteurs arrêtés, les vibrations et les bruits divers de la carlingue cessent enfin. C'est dans un silence accueillant, et par une chaleur accablante, que nous mettons pied sur le sol africain.

Nous enfilons au plus vite des vêtements mieux adaptés à cette chaleur. Exténués, nous nous abritons d'abord du soleil sous les ailes de notre Wellington. Un officier de la RAF (Royal Air Force), accompagné de deux soldats sénégalais, nous souhaite la bienvenue. Ces soldats de l'armée territoriale française monteront la garde près de l'avion durant notre séjour. Un lieutenant nous conduit à la réception. Nous y recevons nos ordres pour la poursuite de notre voyage vers la Tunisie. En attendant, repos.

Nous nous rendons en camion à Fez pour manger. Dans cette ancienne ville impériale romaine, des odeurs et des bruits étranges affluent de partout. Le choc culturel est bien réel. Des Marocains vêtus de djellabas nous confirment notre arrivée au pays des Maures, peuple légendaire dont ils sont les descendants. En quelques heures de vol seulement, nous avons changé de continent et de civilisation. L'armée ne nous a offert aucune séance d'information sur les us et coutumes de ce pays avant notre départ. Le peu de connaissances que j'ai de l'Afrique, je les ai apprises au collège. C'est peu, bien peu.

Au restaurant, des aviateurs américains, français, rhodésiens, sud-africains, néo-zélandais, australiens, canadiens et indiens sont déjà attablés. Comme nous, comme des oiseaux migrateurs en somme, ils effectuent à Fez une simple escale de repos et de ravitaillement. Ils partiront dans quelques heures ou quelques jours pour les zones de guerre du Moyen-Orient, de l'Égypte, de la Russie, de l'Orient, de l'Inde, de la Birmanie, du Pacifique... Le patron du restaurant sert une nourriture de qualité douteuse. Pas d'alcool non plus : nous sommes en pays musulman. Les ustensiles sont retenus aux tables par des chaînettes. Dehors, dromadaires, mulets et moutons vagabondent dans les rues, se mêlant à la circulation déjà compliquée des voitures, des camions et des motocyclettes. Quelques femmes voilées passent furtivement dans la foule. Ce spectacle dépaysant nous étourdit.

De retour à l'aéroport, je me couche sur un lit de toile et je sombre dans un profond sommeil. Au lever du jour, le bruit rugissant des moteurs brise le silence du désert. Les avions s'envolent déjà, les uns après les autres.

Fruits et fromage de chèvre pour déjeuner, puis les camions nous emmènent à notre avion, toujours gardé par notre impassible Sénégalais bien armé. Il a bien fait son devoir. Nos effets personnels sont toujours là. Durant notre absence, les mécaniciens ont fait le plein et les vérifications nécessaires.

Les officiers nous ont remis lors d'un briefing des cartes aériennes pour notre prochaine destination : la ville de Blida, en Algérie. On nous a également donné un carton sur lequel est inscrit un message en arabe. C'est un sauf-conduit, connu sous le nom de *goalie chit*. En cas d'atterrissage en catastrophe en territoire des Touaregs, plutôt que de nous trancher la gorge, ceux-ci recevraient une somme d'argent du gouvernement britannique en échange de notre retour, sains et saufs, à un poste anglais ou américain. Voilà qui est rassurant…

Avant notre départ, un officier de la RAF demande à Chuck, notre pilote, d'emmener deux sous-officiers français avec nous à Blida. Ceux-ci sont surpris que Chuck et moi parlions français. Ils voyageront sans parachute. Ils nous demandent de modifier notre trajet pour survoler Mers el Kébir, près d'Oran. Ils y ont perdu des amis. En juin 1940, après la capitulation de la France, une partie de la flotte française s'est réfugiée dans cette rade. Au mois de juillet, la Marine royale britannique adressa un ultimatum à la flotte française exigeant qu'elle rende les armes sans combat pour qu'elle ne tombe pas aux mains des Allemands. L'amiral français Darlan [4] refusa net et les Anglais coulèrent tout simplement les navires, ce qui fit 1 300 victimes dont faisaient partie ces amis des deux sous-officiers français qui nous accompagnent.

À 10 000 pieds d'altitude, la température est agréable. Assis dans ma boule de verre, branché au tube d'oxygène, j'observe les monts Atlas et la Méditerranée. Une heure plus tard, nous approchons de Mers el Kébir. Chuck invite les deux sous-officiers français au poste de pilotage afin qu'ils puissent observer la rade où leurs camarades ont péri. Il remet ensuite le cap sur la ville de Blida. Deux Lockheed Lightning P-38 de l'aviation américaine nous escortent pendant quelques minutes sans communiquer avec nous. Les deux avions se rapprochent très près, l'un à ma gauche, l'autre à ma droite. Je les salue. Ils m'envoient la main, virent sur eux-mêmes et disparaissent vers la mer. De pareils bimoteurs, très puissants, nous massacreraient s'ils décidaient, je ne sais pour quelle raison, de nous attaquer.

Les rives de la Méditerranée toute bleue sont bordées de sable d'or. Le ciel sans nuages semble aussi bleu que la mer. Nous sommes suspendus dans un bleu quasi complet. Tant de beauté semble rendre la guerre invraisemblable. Chuck communique avec les contrôleurs aériens de Blida. Dans notre approche

4. Amiral français Darlan : Un des chefs de la flotte navale française.

de l'aéroport, les membres de l'équipage s'en mettent plein la vue alors que nous survolons Alger la Blanche. Sous ma tourelle défilent des champs, des vignobles, des villages, des forêts de pins. Les échanges radio se font parfois en français. Cela indique que nous sommes bien en territoire français, territoire que le maréchal Pétain, chef d'État de cette France occupée, a perdu aux mains des Alliés depuis l'invasion de l'Afrique du Nord en novembre 1942.

But final de notre périple : bombarder le territoire italien pour faire fuir les armées italiennes et allemandes, et contribuer ainsi à créer les conditions favorables à un débarquement. En juin 1943, les Alliés débarquent enfin sur les plages de la Sicile. Les troupes du général anglais Montgomery et celles du général américain Patton s'emparent de la Sicile pendant que les généraux de Gaulle et Giraud se disputent le pouvoir politique et les Forces françaises libres. Entretemps, l'armée allemande est repoussée à Koursk par les Russes. Sur tous les fronts, les forces armées de l'Allemagne perdent du terrain et la victoire semble maintenant possible pour les Alliés.

À Blida, d'autres mécaniciens font à nouveau le plein d'essence de notre appareil. Les deux Français prennent congé, non sans nous avoir donné à chacun une franche accolade. Un bistro de la gare aérienne nous permet de nous restaurer. La chaleur est toujours très intense. Écrasés par cette effroyable chaleur, nous aimerions bien rester à Blida pour la nuit, mais nous devons nous rendre en Tunisie avant le coucher du soleil.

Le décollage se fait en toute hâte et nous survolons bientôt Sétif et Constantine, le pays des Kabyles. Quelque 500 milles nous séparent encore de Kairouan.

À notre arrivée, nous sommes mentalement et physiquement à bout de forces. Dans ma boule de verre, je suis complètement exténué et fourbu. Tout me semble irréel. Tant d'événements se sont déroulés en quelques jours seulement. Le soleil se couche. Le thermomètre descend à 15 °C. Je me couche enfin sur mon grabat. Je tire la couverture de laine et je m'abandonne au sommeil.

Tôt, avant le lever du jour, nous quittons Kairouan pour Pavillier. En 30 minutes de vol, nous arrivons enfin à destination, là où est basée l'escadrille des Alouettes. Nous sommes accueillis par le lieutenant-colonel Baxter Richer. Il est accompagné de l'adjudant Danis, de l'aumônier, le père Laplante, et du capitaine Payette, un médecin.

Un village de tentes loge les 500 aviateurs, les mécaniciens et les administrateurs. Nous sommes dispersés dans ce désert de poussière. Les grandes tentes abritent l'administration, l'hôpital, les cuisines et le service d'entretien des moteurs. Plusieurs tranchées de deux pieds de largeur par six pieds de longueur sont creusées dans le sable, et recouvertes de grandes caisses en bois. Ce sont nos toilettes à trois trous. Ces lieux conviviaux, sans abri et à la vue de tous, sont habités par des nuées de bestioles qui attaquent les visiteurs sans défense, tout particulièrement lors de malaises intestinaux. Autre problème : le papier hygiénique est une denrée rare.

L'eau est un problème quotidien. Deux gallons d'eau nous sont attribués quotidiennement pour nos ablutions, notre lessive et pour étancher notre soif. Parfois, nous puisons l'eau nécessaire à la lessive ou aux douches dans des puits rendus inutilisables par l'ennemi. On y a jeté des mulets morts pour les contaminer. Nous achetons des amphores de terre cuite qui nous permettent d'emmagasiner l'eau. Les amphores sont enfouies dans le sable afin de les préserver des chauds rayons du soleil.

Il n'y a aucune végétation, aucun bâtiment et aucun arbre pour nous mettre à l'ombre. Seules les tentes et les ailes des Wellington offrent un peu d'abri. Les scorpions, les tarentules et les moustiques porteurs de la malaria font partie de notre quotidien. Pour me garder du paludisme, j'avale sans faute chaque jour un comprimé de quinine.

Le viseur de lance-bombes Ian, l'opérateur radio Bob et moi partageons une même tente. Nous dormons sur des nattes de paille entourées de moustiquaires pour nous protéger de tous ces vilains insectes. Une couverture de laine nous permet d'affronter les nuits fraîches. Le soleil couché, l'air plus frais glisse sur nos peaux brûlées comme un baume.

Il y a toujours du bruit et de l'activité au camp. Deux génératrices bruyantes alimentent notre campement en électricité. La police militaire patrouille à la périphérie non gardée de notre base.

Nous sommes ici pour seconder les armées américaine et britannique durant l'invasion de la Sicile et de la botte de l'Italie. Nous sommes rattachés à la 12e Air Force commandée par le général James Doolittle, héros du bombardement sur Tokyo en février 1942. Doolittle avait alors survolé Tokyo avec 16 bombardiers B-25, lancés depuis un porte-avion. Pour leurs opérations en Italie, les Américains n'ont pas de bombardiers de nuit, et c'est pourquoi trois escadrilles canadiennes se trouvent alors en Tunisie.

Pour nous familiariser avec la région, nous partons survoler le désert pendant des heures. Le lieutenant-colonel Richer a assigné notre bombardier flambant neuf, notre *Wellington L (Love)*, à un autre équipage. Nous héritons plutôt d'un *Wellington S (Sugar)* qui a déjà 10 raids à son actif. Nos envolées au-dessus des villes de Tunis, de Sousse, de Carthage et de Bizerte nous font découvrir une région couverte de sable, de terre rouge et de pinèdes. À 150 milles au sud de Tunis, nous survolons, à notre grand étonnement, l'amphithéâtre El Jem construit par les Romains en l'an 230 apr. J.-C. Il pouvait accueillir 40 000 spectateurs pour les jeux. C'est la guerre et je découvre le monde.

À 19 h 45 le 4 août, nous quittons la base pour réaliser notre premier raid. À bord se trouvent 4 300 livres de bombes. Notre cible : Scaletta, au nord de la Sicile. C'est un aller-retour de 900 milles. Les services secrets ont identifié là-bas un dépôt d'armes et de chars d'assaut de l'armée allemande. Vingt Wellington comme le nôtre participent à ce raid.

Au-dessus de la mer, les cumulus s'accumulent les uns sur les autres. La tempête gronde. Les éclairs nous accompagnent pendant des heures. Comme on arrive près de la côte sud de la Sicile, j'entends mes compagnons s'exclamer à la vue du volcan Etna en éruption. Je dois patienter, car de ma tourelle, je serai le dernier à le voir. Puis vient mon tour d'observer cette terrible force de la nature crachant des lames de feu dans la nuit.

Habitué à l'espace exigu de mon habitacle, je prends goût à mon environnement. Je me sens en sécurité et rien ne m'effraie. Le bruit des moteurs et l'air qui s'infiltre de partout me sont familiers et m'enivrent. Sous mon masque à oxygène, je suis cependant nerveux, anxieux et tendu. Je vérifie sans cesse mes mitrailleuses. Au-dessus de la mer, je demande au pilote la permission de faire l'essai de mes quatre

Browning. Le ratatata des balles fait vibrer la tourelle tout entière et l'odeur de la cordite me prend à la gorge.

Tous ces mois d'entraînement m'ont conduit ici. Je suis dans une bombe volante qui peut exploser à tout moment. Je suis à la guerre. La vraie. La vie est en danger. J'ai le droit de tuer. L'ennemi peut le faire aussi. Mes rêves de conquête du ciel m'ont amené au-dessus de l'Italie dans une bulle de verre à la recherche d'un ennemi. Dans quelques heures, nous larguerons 4 000 livres de bombes. Des bombes et des bombes. Quelque part en Sicile. La peur m'envahit et, insidieusement, la panique s'empare de moi. La voix du pilote dans mes écouteurs me ramène à la raison. « Toujours avec nous ? » demande-t-il. D'une voix tremblante, je lui réponds que oui. « Rien à signaler, Tail-end Charlie ? » Non, tout va. Tout va. Puisqu'il le faut bien.

Il fait noir. Je ne vois que les étoiles. Les autres comptent sur moi. Je me dois d'être avec eux tout entier. Nous sommes tous dans un état de nervosité extrême, les sens aiguisés et tendus par l'adrénaline devant l'inconnu. La voix du pilote se fait à nouveau entendre dans mes écouteurs : « Alerte ! À une heure, un avion. »

Pris par surprise, je mets quelques instants à identifier un de nos Wellington. Nous convergeons tous vers la cible et nous devons être très vigilants. Les membres de mon équipage comptent aussi sur moi pour les alerter des dangers, pour identifier les cibles.

De petits nuages se forment soudain près de l'avion. Je mets quelques secondes à me rendre compte que ce sont les explosions des obus antiaériens qui nous sont destinés...

— Chuck, on nous tire dessus. Regarde les petits nuages, à 10 heures.

— Ils sont au-dessus de nous, les canonniers ennemis n'ont pas bien évalué notre altitude.

Peut-être, mais nous sommes dans leur ligne de tir tout de même... Nous gardons notre cap. Nous continuons notre route. La côte est enfin visible. Le viseur de lance-bombes identifie notre cible. Les canons de la DCA tentent toujours de nous abattre. Nos soutes sont ouvertes et les bombes larguées. Libéré de sa lourde charge, l'avion fait un saut de joie et prend soudainement de l'altitude. Nous larguons tout de suite un petit parachute auquel est attaché une lampe éclairante qui permettra à notre appareil photo de prendre un cliché de la cible.

Au retour, nous utilisons les feux de l'Etna comme balise. Le temps est propice aux attaques des chasseurs ennemis. Ils connaissent désormais la position du groupe mais doivent faire vite, car dans quelques minutes, nous serons hors de leur portée. Le voyage de retour s'effectue heureusement sans incident. Une grande joie s'empare de nous à la vue de la côte tunisienne.

Je regarde à l'est où une fine bande orangée trace à l'horizon des signes précurseurs du soleil levant au Moyen-Orient. Au-dessous de nous, la terre est encore cachée par la nuit. La piste est en vue, bordée timidement par des lampes à l'huile. L'atterrissage se fait en douceur.

Les moteurs arrêtés, les bruits et les vibrations s'estompent. Le silence ne dure qu'un instant : une joie euphorique s'empare de nous. Nous avons réussi notre première mission ! Nous sommes revenus !

CHAPITRE 8

EN DANGER

L'EFFET DE L'ADRÉNALINE s'est estompé. Je suis complètement vanné. Le sommeil n'arrive pourtant pas facilement. Au matin, je constate que j'ai à peine fermé l'œil. Je revis sans cesse le raid. Je songe sans cesse que notre bombe volante chargée d'explosifs et de carburant aurait pu exploser à tout moment, atteinte par une balle ennemie. Elle aurait pu aussi s'écraser en mer à la suite d'une défaillance mécanique ou tout simplement se perdre dans la nuit. Et nous avec elle. Mes pensées sont concentrées sur cette charge d'explosif que nous transportons dans les airs. C'est tout ce à quoi je pense.

Sitôt le soleil levé, la chaleur fait son nid. Toujours ni arbre ni végétation d'aucune sorte pour se protéger de la chaleur. L'horizon s'étale devant nous en un trait infini et monotone. Un seul pissenlit nous ferait office de jardin. Mes pas soulèvent de petits nuages de terre rouge qui m'accompagnent comme des chiens fidèles. À la grande tente du mess, les menus ne sont pas compliqués, *corn beef* argentin matin, midi et soir... Les galettes, dites de matelot, que nous couvrons de confitures anglaises, ne nous font pas oublier le bon pain. Le café anglais est affreux, mais le thé est délicieux. Les cuisiniers se rendent parfois à Kairouan et rapportent du pain français. Ces mauvais repas routiniers subviennent quand même à mes besoins essentiels et, sitôt rassasié, je n'y pense même plus.

De notre base à Sidi el Hani, nous décollons régulièrement pour un raid. Nous ne volons que la nuit et, au-dessus de la Méditerranée, les cumulus nous attendent de pied ferme. Au retour d'une de ces missions, le lieutenant-colonel Richer nous informe que Roosevelt et Churchill se sont rencontrés au château Frontenac, dans la ville de Québec, afin de finaliser les préparatifs pour l'invasion de la « Forteresse Europe [1] ». Les troupes canadiennes sont en Sicile et, bientôt, elles participeront à la conquête de l'Italie. Nous continuons de bombarder la Sicile et bien d'autres cibles en Italie continentale.

Une permission nous permet de visiter Kairouan, ville sainte de l'islam, et ses 50 mosquées,. Je m'y rends à bord d'un camion militaire, accompagné d'une vingtaine de compagnons. Le véhicule nous amène à la Grande Mosquée, Djama Sidi Okba, la plus ancienne et la plus sacrée de l'Afrique du Nord. La mosquée est entourée de souks qui regorgent de marchandises exotiques – tapis, bijoux, objets de cuivre ciselé, travaux en cuir – toutes aussi intrigantes les unes que les autres. Nos exclamations naïves devant les étals révèlent notre ignorance complète de l'artisanat et des coutumes du pays.

La mosquée est interdite aux non-croyants. Des soldats américains et britanniques marchandent avec

1. Zone de l'Europe retranchée derrière les côtes européennes fortifiées par les Allemands pendant la Seconde Guerre mondiale, stratégie dont fit partie le Mur de l'Atlantique.

des vendeurs dans un déluge de mots arabes, français, italiens et anglais. Un passant qui m'entend parler français avec un marchand s'exclame : « Vous parlez français ? ! » Bien sûr ! Je suis du pays des érables !

Il est professeur de mathématiques au lycée français de Monastir. Après quelques échanges de noms et de politesses, Marc Jarance m'offre ses services comme guide. Il est de la région de Lyon et réside en Tunisie depuis avant la guerre. Je me méfie de lui, car il pourrait bien sûr être un espion. Il me promet de me faire visiter la Grande Mosquée, malgré l'interdiction.

Chemin faisant, je visite les souks et les marchés de moutons, de dromadaires et de chèvres. J'apprends qu'on ne doit en aucun temps accepter le premier prix demandé. L'art de marchander est pris au sérieux et accepter la première offre est un affront. Des femmes voilées accompagnent les enfants joyeux et bruyants. Marc me donne un bref cours sur l'histoire de ce peuple et la religion musulmane. Je lui avoue mon ignorance totale du pays. Mon éducation a été strictement d'influence catholique. Au Québec, on considère ces peuples comme des païens qui ne peuvent accéder à notre paradis. En conséquence, nous n'apprenons rien sur eux.

Près de la grande porte de la mosquée construite en l'an 672, mon guide échange quelques mots en arabe avec un gardien. Pour quelques francs, il nous y introduit en douce. La grande cour de marbre entourée de colonnes est vide de monuments, fresques ou ornements quelconques. Il n'y a ni bancs, ni chaises. Marc m'explique que les musulmans doivent prier cinq fois par jour en se prosternant en direction de La Mecque qui est située à des milliers de kilomètres, perdue dans les sables de l'Arabie. La Mecque est leur ville sainte, la Rome des musulmans. J'ignorais tout cela. Pour moi, ce sont des découvertes complètes.

En fait, quelle révélation pour moi que tout cela ! Allah est donc le seul Dieu ? Le Christ, pour les musulmans, n'est qu'un vénéré prophète, mais non un dieu. Quel sacrilège ! Mahomet est-il vraiment le plus grand et le dernier des prophètes ? Mon ignorance du monde est tellement évidente que j'en ai honte. Mon guide mesure vite mon malaise. « Gilles, vous êtes chanceux, me dit-il, car vous vivez des expériences extraordinaires qui vous guideront dans vos choix de vie. »

Tard dans la nuit, après m'être beaucoup promené, je retourne à Sidi el Hani. Couché sur ma natte, un peu déboussolé, je songe longtemps à tout ce que j'ai vu et entendu durant cette journée.

Nuit après nuit, nous bombardons le sol italien. Moi, j'en suis à ma septième mission. Ce matin, il y a briefing à la tente du lieutenant-colonel Richer. Ces rencontres sous la tente ont pour but de préparer les raids. Elles se déroulent pourtant d'une façon très informelle. Les conditions météorologiques annoncées sont sans surprise : il y aura des cumulo-nimbus au-dessus de la mer, mais au-dessus de la terre ferme, le ciel sera sans nuages.

Notre objectif cette fois est Foggia, situé près de la mer Adriatique. Une bombe de 4 000 livres constituera notre chargement pour cette nuit. Elle remplacera les huit bombes de 500 livres que nous larguons d'ordinaire. Nous parcourrons quelque 600 milles avant d'atteindre notre objectif, le tout au-dessus de la mer. Le départ n'étant qu'à 21 heures, je me rends au *bomb dispersal*, où les bombes et les munitions sont entreposées.

Les rampants, nom que nous donnons affectueusement au personnel de terre, sont occupés à charger les avions de bombes et de munitions pour les mitrailleuses. Les rampants travaillent dans des conditions de chaleur intense. Les bombes chauffées par le soleil toute la journée sont brûlantes et doivent être maniées avec des gants. Quel travail ardu ! Les bombes sont déposées sur des chariots tirés par des tracteurs. Elles sont poussées sous les soutes. Des treuils mécaniques démontables les soulèvent alors que des mécaniciens s'affairent à les placer de façon sécuritaire sur des supports en forme de berceau. Elles ne seront armées qu'au décollage. Un système électromécanique, contrôlé par le viseur de lance-bombes, déclenchera le tout au moment venu.

Ce champ de munitions pourrait-il sauter d'un instant à l'autre ? Il faut en principe que les bombes soient armées pour qu'elles sautent. Nous ne sommes pas en danger tant qu'elles ne sont pas armées et elles ne le sont qu'au décollage de l'avion. Seul le viseur de lance-bombes peut les activer. Mais si nous étions attaqués, bien sûr que tout ce qu'il y a ici sauterait et détruirait tout, absolument tout.

Je participe à l'occasion, avec des armuriers, à l'armement de mes mitrailleuses Browning. Les chargeurs contiennent 10 000 balles de calibre .303. Ces munitions sont attachées aux parois du fuselage, près de ma tourelle. Ces chapelets de balles sont amenés aux mitrailleuses par un ingénieux dispositif nommé *servofeed* qui alimente celles-ci sur commande et règle la cadence du tir. Sans cet appareil, ce serait le chaos dans la tourelle. J'apprécie le travail de mes camarades rampants qui doivent accomplir leur boulot dans des conditions très difficiles.

Ce soir-là, le 19 août, au retour, nous nous écrasons. Me voilà qui rampe. Mes compagnons sont gravement blessés ou morts. Je n'ai plus d'avion. Il s'en est fallu de peu que j'y passe aussi. Mais la vie continue. Je vais devoir continuer de transporter la mort du haut du ciel.

CHAPITRE 9

L'ALOUETTE EST ORPHELINE

POUR LE RAID DE ce soir, je fais partie de l'équipage de l'officier Anderson. Son mitrailleur, atteint du paludisme, a dû retourner en Angleterre. Depuis cinq jours, depuis notre atterrissage en catastrophe du 19 août, j'étais sans équipage. L'officier Anderson, accompagné d'un adjudant, est venu me rencontrer pour que je me joigne au sien. En fait, si je refuse, il ne pourra tout simplement pas partir en mission.

Mes coéquipiers Chuck et Joe sont à l'hôpital militaire d'Alger. On me dit que leur vie ne tient qu'à un fil. J'apprendrai plus tard que le pilote est mort. Je n'ai plus eu de nouvelles du second. Quant à moi, je n'ai, par miracle, aucune séquelle physique du crash. Je sens que je dois revenir à l'action le plus vite possible. Si je ne le fais pas, mes peurs risquent de prendre le dessus. Revoler au plus vite : c'est bien la seule façon de les combattre.

Mais depuis quelques jours, à la suite de l'écrasement, je réfléchis à mon sort comme volontaire dans l'aviation. Je sais désormais que des dangers beaucoup plus grands encore m'attendent. Mais que puis-je faire, sinon me résoudre à vivre mon destin sans hésiter ? Je comprends, il me semble, la signification des mots

« honneur, famille et patrie ». Après tout, personne ne m'a forcé à aller à la guerre. Si au départ, je n'y voyais qu'aventures, je sais maintenant que ma participation représente une infime part dans les grands enjeux historiques qui se jouent en Afrique du Nord. Une infime part, mais une part tout de même.

J'ai le choix. Je ne suis pas coincé dans une souricière. Je peux refuser de continuer. L'idée de tout arrêter, de rentrer chez moi, effleure parfois mon esprit, mais le danger m'attire plus que tout. Les départs palpitants vers les cieux courroucés, les traversées de la Méditerranée dans un avion chargé de bombes et d'essence m'enivrent. Les efforts que feront nos ennemis pour nous abattre ne m'effraient pas au point d'abandonner. J'ai une envie téméraire d'affronter ces dangers.

Les autres membres de l'équipage me sont inconnus. Le fait que je remplace l'un des leurs est pour eux un mauvais présage. Je suis un étranger qui s'introduit dans une famille du ciel. Pour subjuguer leurs peurs, certains traînent des fétiches auxquels ils confient leur âme, d'autres s'en remettent à leur dieu pour assurer leur protection. Pour ma part, je pense à ma famille, à mon père, à Margot, à Madelon, à Clément, à Marcel, à Suzanne, à Monique, à Denis le benjamin et à Robert, mon frère aîné... Tout ce monde-là tourne en boucle dans ma tête. Mon frère Robert, volontaire lui aussi dans l'aviation canadienne, travaille comme administrateur à la base militaire Patricia Bay en Colombie-Britannique, soit à 8 000 kilomètres de la Tunisie...

À 22 heures, nous quittons l'aérodrome à bord de notre Wellington. L'avion est chargé à bloc. Destination : Capodichino, près de Naples. Le voyage durera six heures. À part des cumulus qui tentent de nous barrer la route au-dessus de la Méditerranée, le voyage est sans incident. Mais je reste aux aguets sans relâche puisque l'ennemi est forcément là, tapis dans les ténèbres... La vue du Vésuve à l'orée de Naples est étonnante. Je suis émerveillé à la vue du volcan, toujours actif et menaçant, qui sert de balise au navigateur pour mieux repérer notre cible. L'éruption du Vésuve, en l'an 79, a anéanti la ville de Pompéi et ses habitants. Désormais, ce sont nos bombes qui transforment en cendres le pays.

Les armées allemandes sont en fuite vers le nord de l'Italie. Elles résistent néanmoins férocement. Les forces alliées ont beaucoup de peine à les déloger de leurs positions.

Soudain, le tir des canons antiaériens se fait de plus en plus précis. Notre avion est violemment ébranlé. Nous ne sommes pas touchés, mais les obus passent très près. Parfois je vois apparaître dans l'ombre un autre bombardier qui suit pratiquement la même trajectoire que nous. La crainte d'une collision nous hante avec raison. À grande vitesse, dans les ténèbres, les 40 bombardiers se dirigent vers la même cible. Lorsque nous nous en rapprochons, nous sommes forcément de plus en plus près les uns des autres, mais sans nous voir, sans possibilité de contrôle. Les communications radio sont impossibles, étant donné le risque qu'elles représenteraient par ailleurs pour nous.

Les éclairs produits par les explosions des obus antiaériens et les faisceaux lumineux dirigés sur nous révèlent parfois l'ombre fuyante de l'un des nôtres. Les nerfs tendus à l'approche de la cible, nous gardons le silence, pendant que le viseur de lance-bombes donne des ordres au pilote afin de maintenir l'alignement sur la cible. Nous attendons les mots magiques, les mots qui sonnent le début de la fin, les mots qui vont nous libérer de notre mission : « *BOMBS GONE!* »

Soulagé de sa charge, l'avion fait comme toujours un bond vers l'espace, puis plonge vers la mer afin de prendre la direction du retour. Nuit après nuit, l'aventure se poursuit et la chance m'accompagne. Je n'appartiens plus à aucun équipage et je vais de l'un à l'autre. Je suis un *Spare Tail-end Charley*, une roue de secours. Je m'habitue à cette fonction de substitut.

Sous les coups, l'empire de Mussolini finit par s'écrouler. Le 3 septembre, l'Italie signe un armistice avec les Alliés. Mussolini est emprisonné dans les Abruzzes avant d'être assassiné. La Corse est à son tour libérée par le général Giraud de l'armée française d'Afrique. L'armée allemande occupe l'Italie et arrête les armées alliées au mont Cassino. La guerre n'est pas gagnée. Loin de là.

Au retour d'un raid sur Battibaglia, le 8 septembre 1943, à 15 000 pieds d'altitude, je suis témoin de la capitulation de la marine italienne. Celle-ci se rend à la Marine royale britannique qui escorte la flotte captive vers le port d'Alexandrie en Égypte. Tout a l'air si calme du haut des airs. Les rayons orangés du soleil s'étendent sur une mer lisse comme un miroir tandis que le jour se lève sur un horizon aux couleurs douces du Moyen-Orient. Le rêve insensé de Mussolini de devenir le César d'un nouvel Empire romain s'éteint. Tant de beauté me réjouit au point d'en avoir la larme à l'œil. Il n'y a pas que réjouissances dans ce spectacle ; je sens aussi de la tristesse à assister à l'humiliation de la nation italienne, déshonorée pour avoir appuyé les chimères de son dictateur.

Tout le long de septembre et octobre, les raids continuent. Ils sont entrecoupés de quelques permissions. Je profite de celles-ci pour faire du tourisme en Tunisie. Depuis mon arrivée, je n'ai pas fait la moindre rencontre avec les filles du pays. Les Tunisiennes sont voilées. Nous ne devons en aucun temps leur adresser la parole. Mais beaucoup de familles françaises vivent dans les villes de Sousse, Tunis et Monastir. J'ai bien l'intention d'y faire des rencontres. Lorsque je m'ennuie, je pense encore à Wendy et à notre nuit d'amour sous les bombes à Londres.

CHAPITRE 10

AU PAYS DU PROPHÈTE

PERMISSION DE TROIS JOURS ! Avec un compagnon anglophone, je me rends à Monastir, port de mer sur le littoral oriental de la Tunisie. Les services de transport par autocars sont irréguliers. Des camions militaires américains, français et anglais circulent constamment sur ces routes poussiéreuses. En bord de route, des débris de chars d'assaut, de camions et autres véhicules militaires allemands, anglais, américains et italiens sont les témoins silencieux de la férocité des combats qui eurent lieu ici il y a quelques mois. Ce qui n'a pas été détruit lors des combats a ensuite été pillé.

À Monastir, un gendarme de l'armée française nous guide vers un hôtel. Nous échangeons quelques mots. Mon accent le rend perplexe, il me demande si je suis belge.

À l'hôtel Karawan, nous réservons une chambre de deux lits pour une somme modique. La salle de toilette se trouve au bout du corridor. Un lit avec des draps de coton ! Une vraie toilette ! Tant de luxe nous ravit.

La mer est calme et chaude. Nous n'avons pas de maillots de bain, mais qu'importe : nos *british army shorts* font très bien l'affaire. Quelle joie, quel plaisir que de nager et de plonger dans la Méditerranée ! Depuis des mois, je vis sous une tente, éloigné de toute eau, de toute verdure et de tout confort. Et la guerre me semble aujourd'hui si lointaine. J'ai peine à croire que toutes ces aventures sont miennes.

Lorsque vient le temps de payer quelque chose, la situation devient toujours cocasse. Voici des dollars américains, des livres sterling anglaises, c'est-à-dire de l'argent d'invasion, des francs français et des francs tunisiens... Tout est accepté, mais la confusion est bien sûr totale. Les marchands prennent l'une ou l'autre de ces devises mais préfèrent le dollar américain. À cause de la dévaluation du franc tunisien, on a biffé le 500 sur les billets de 500 F pour y inscrire 5 000 F. Le marchandage est de rigueur.

Au coucher du soleil, le *muezzin*, du haut du minaret de la Grande Mosquée, appelle les fidèles à la prière. Cinq fois par jour, ceux-ci s'arrêtent, se prosternent et clament leur foi : il n'y a de divinité qu'Allah et Mahomet est son prophète. Pendant qu'ils se prosternent, rendant grâce à Allah, le chant plaintif et rythmé vogue au-dessus de ma tête et se perd dans la pénombre.

Sitôt le soleil couché, l'air frais apporte les odeurs de la mer qui se mêlent aux parfums des fleurs qui abondent tout le long de la plage. Mon compagnon d'occasion me quitte pour aller se balader en ville. La plage est très animée. Les femmes, enveloppées dans leur *haïk*[1], surveillent les enfants. Les hommes se tiennent à l'écart.

1. Pièce d'étoffe drapée sur les autres vêtements.

Près de moi, j'entends des voix féminines françaises. Ce n'est qu'au cinéma que j'ai entendu de si beaux sons. Les exclamations, les rires, les paroles chantantes me font rêver. Si je m'approche d'elles, pourront-elles me comprendre ?

— Bonsoir, mon nom est Gilles Boulanger. Je suis du Canada !

Un homme vêtu d'un complet tout blanc se lève et me dit :

— Je suis Marcel Bourier. Il me fait plaisir de vous serrer la main. Que diable faites-vous ici dans ce bled ? Je vous présente ma femme Mathilde, ma fille Esther, mon fils Mathieu et mon frère Jacques.

C'est la première fois qu'ils rencontrent un Canadien des Forces armées. Si parfois mon accent et mes mots les surprennent, les questions sont nombreuses. Ils ne connaissent pas beaucoup le Canada et encore moins le Québec. Ils me parlent bien sûr des tempêtes de neige, ce qui me paraît assez insolite sur cette plage de Tunisie où il fait au moins 30 °C.

Marcel Bourier et sa femme sont professeurs dans un lycée à Tunis. Leur fille Esther est très jolie. Elle a une voix qui me semble similaire à celle des actrices françaises. Une voix douce, très douce, qui chante des mots qui me plaisent et me font rêver. Elle a 16 ans. Je suis charmé par le vocabulaire et l'aisance d'expression de cette famille. C'est la première fois que je rencontre une famille française.

— Vous venez à Tunis avec nous ! lance Monsieur Bourier. Nous y retournons par le train dès demain matin. Vous êtes en permission, non ? Mon épouse et moi vous invitons à nous accompagner à Tunis.

J'hésite, car Tunis est tout de même à plus de 160 km de Monastir, puis je cède. De retour à l'hôtel, j'annonce en vitesse à mon compagnon mon départ pour Tunis. Le voyage dure cinq heures.

En route, l'oncle Jacques me parle de l'occupation de l'Allemagne. Il est historien et le déroulement des événements le fascine. Les temps ont été très durs. Ils ont manqué de tout et ont même souffert à l'occasion de la faim. La situation s'est améliorée seulement depuis que l'ennemi a quitté l'Afrique du Nord en mai. Les armées allemandes, sous le commandement des généraux von Arnim et Rommel, ont quitté la Tunisie après de violents combats.

Je leur parle du général de Gaulle qui, pour nous, représente la France libre. Mes hôtes français n'ont pas la même opinion sur ce sujet. Certains appuient le général Giraud, d'autres de Gaulle. La famille Bourier n'est par ailleurs pas très au fait de la participation du Canada dans ce grand conflit. Ils sont même étonnés d'apprendre que l'armée canadienne se trouve en Sicile et que des escadrilles de bombardiers de l'Aviation royale canadienne se trouvent à quelques kilomètres de Monastir.

Mais moi aussi j'ignore de vastes pans de la réalité de cette guerre. Je ne comprends pas bien, entre autres choses, la situation de la Tunisie. Sous l'occupation, ce pays, colonie française, était administré par le gouvernement français, placé sous l'autorité du général Pétain, en collaboration avec l'Allemagne. Pareille situation me paraît pour le moins confuse. Je réalise avec stupéfaction que les Français se disputent entre eux pendant que les Alliés font la guerre pour les délivrer du chaos. Il y a les partisans du général Giraud (les giraudistes) et ceux du général de Gaulle (les gaullistes). Bien que soutenu par les Anglais, de Gaulle est considéré comme un usurpateur. Le président américain, Franklin Roosevelt, favorise d'ailleurs Giraud.

Sans la rencontre de Jacques Bourier, j'aurais sans doute quitté ce pays sans rien connaître de ses origines anciennes. Le pays date d'avant l'ère chrétienne. Les Phéniciens vinrent du golfe Persique vers 1200 av. J.-C. Ils ont fondé Carthage. Sous les Romains, Tunis devint le chef-lieu de l'Afrique. Aujourd'hui, en pleine guerre, elle demeure une ville importante dans ce pays. Ne suis-je pas comme un de ces guerriers romains, grecs ou phéniciens, en train de participer à l'histoire qui se fait ?

De la gare de Tunis, la famille Bourier me conduit à travers un dédale de petites ruelles bordées d'habitations à deux ou trois paliers. Nous arrivons enfin à leur appartement, situé au deuxième. M. Bourier me présente son voisin, chez qui je passerai d'ailleurs la nuit. L'arrivée d'un militaire canadien éveille la curiosité des gens des alentours. On vient tour à tour me saluer.

Ici, les Français rêvent de retourner en France aussitôt que la guerre sera terminée. Les Bourier sont de Lyon. La seule pensée d'une victoire et d'un retour à la paix les rend fous de joie. Je partage volontiers cette joie, même si je ne connais pas plus Lyon que l'Europe.

Une invasion du continent donnerait sûrement une victoire totale contre les nazis... Peut-être. Mais quand ? Je leur rappelle que je ne suis qu'un sergent aviateur de l'aviation canadienne et que les seigneurs de la guerre ne me consultent pas. Leurs questions pressantes et leurs espoirs anxieux me font prendre conscience du fardeau écrasant que représentent pour un peuple les chaînes de la conquête et de ce que seuls l'espoir et la foi arrivent à l'occasion à le soulager. Faut-il perdre son pays pour le découvrir et le comprendre vraiment ?

Ma chambre chez les voisins donne sur une cour intérieure, de laquelle montent vers moi les sons mélodieux d'une musique arabe. M. Mercure, mon hôte, m'explique qu'un mariage arabe a lieu dans cette cour et que l'on fêtera certainement toute la nuit. Depuis l'embrasure de la grande fenêtre, nous assistons à cette curieuse cérémonie de musique et de danse. Les hommes échangent entre eux des cadeaux. Pas la moindre femme. Elles sont retranchées derrière les jalousies, avec la mariée entourée de ses sœurs, de ses cousines. Elles observeront de loin la cérémonie, selon la tradition musulmane. Absentes, elles sont pourtant au cœur de tout le cérémonial. Je m'endors au son plaintif des instruments à cordes qui accompagnent ces chants de l'Orient.

La visite de Tunis est de courte durée. Le lendemain, la famille Bourier m'accompagne à la gare pour mon retour à Monastir. Après de chaleureuses accolades, bises et promesses de visites mutuelles, je les quitte non sans regret. Le train se met en marche doucement pour ce long voyage. Dans les wagons, les voyageurs sont nombreux. Des femmes voilées, entourées de nombreux enfants et de leur mari, occupent la majorité des sièges. Je reste à l'écart, par pudeur autant que par un étrange sentiment de ne pas être à ma place du tout. Moi, un militaire d'outre-Atlantique, je suis en quelque sorte égaré dans leur pays.

Mon ignorance m'agace de plus en plus, une ignorance dont je ne cesse de découvrir l'étendue depuis que j'ai quitté l'Amérique. « Que diable faites-vous ici dans ce bled ? » m'a demandé M. Bourier. Oui, qu'est-ce que je fais là, après tout ? Mes pensées voguent vers ma famille et je suis pris parfois d'une grande mélancolie. Ma famille me manque. Il me semble que je ne les reverrai jamais. Qu'est-ce que je fais dans ce bled ?

Je retourne à la base. Je suis en permission, pas en liberté. J'irai bombarder quelque part des gens que je ne connais pas. Nous irons larguer 4 000 livres de bombes sur des cibles que nous ne verrons pas, espérant n'atteindre que des objectifs militaires, tout en sachant qu'une bombe reste une bombe. Je ne suis pas ici pour visiter du pays, mais pour pourchasser un ennemi.

Arrivé à Monastir, je me mets immédiatement au bord de la route pour « faire du pouce » afin de retourner à ma base. Un camion américain s'arrête et me prend à bord. La nuit venue, nous rejoignons un bivouac de l'armée américaine. Les soldats me traitent comme un des leurs. On m'offre un lit de camp et des *K-rations*[2]. Dès le lever du jour, je quitte le camp. Je lève le pouce et suis pris par un autre camion, anglais celui-ci. Quelques heures plus tard, j'arrive à Sidi el Hani. C'est le retour à la guerre, à la réalité, à ma réalité.

2. Repas tout compris, incluant trois cigarettes.

CHAPITRE II

CAPRI

NOTRE ESCADRILLE DÉMÉNAGE À Sidi el Hani, à 30 minutes de vol de Pavillier. La saison des pluies approche et notre aérodrome est paraît-il vulnérable aux inondations soudaines. La terre rouge devient alors une boue gluante qui paralyse tout. C'est d'ailleurs avec cette boue mêlée à de la paille que l'on fabrique des briques pour construire les habitations des villages.

On a mis trois jours à tout déménager. Ensuite, les opérations recommencent, à nouveau des bombardements sur l'Italie. Je vole souvent avec l'équipage du lieutenant d'aviation Anderson. Cette nuit, nous transportons 36 fusées parachutes. Notre mission est d'illuminer la cible de Formia, port de mer situé au nord de Naples, afin de faciliter le travail des Wellington chargés à bloc qui nous suivent.

Le départ se fait sans incident. Vue de ma tourelle, à 10 000 pieds d'altitude, la presqu'île du cap Bon est comme un tremplin vers la Méditerranée. À ma gauche se trouve après un moment la côte ouest de la Sicile. À terre, on a éteint même les plus timides lumières afin de tenter de déjouer l'ennemi et nous naviguons en nous servant de la luminosité des étoiles.

Je voyage entre les ténèbres et ces étoiles qui scintillent. Il nous reste plus de 300 milles à parcourir au-dessus de la mer avant de pouvoir atteindre la cible.

Le pilote nous signale que Capri est en vue. L'île est un point de repère essentiel pour le navigateur. Pendant qu'il ajuste les données, je fredonne la chanson de Tino Rossi, *C'est à Capri que je l'ai rencontrée*, souvenir de mes études à l'École technique de Québec...

Cette île, comme une tache sur la mer, ne peut se dérober à nos regards. Le vrombissement des moteurs des 40 bombardiers Wellington aura sûrement réveillé même les amoureux dans leur bulle. À bord, la tension augmente.

— *Attention crew ! Anderson here ! Watch out for fighters. We are getting into the target area.*

Au-dessus de la mer, les chasseurs ont beau jeu. Depuis la défaite des Italiens, les Allemands seuls sont présents dans les nuits de l'Italie. De ma tourelle, adossé au fuselage, je scrute le ciel sans arrêt à la recherche de l'ennemi. Mais je ne vois rien de suspect. La nuit est d'encre et si un chasseur s'approche, j'ai en fait peu de chance de le voir. Notre Wellington est finalement une proie très facile.

Que peut-il y avoir de si important à Formia pour attirer l'attention de nos stratèges ?

Le viseur de lance-bombes ouvre les portes de la soute et dirige l'avion vers le centre de la ville de Formia. Le but est de larguer des fusées selon un axe sud-nord pour ensuite faire une boucle, revenir sur notre cible, puis larguer d'autres fusées, de façon à créer une croix de feu sur la ville.

Les fusées tombent en cascade et dérivent lentement au-dessus du port de mer. Je vois des bateaux, des quais et les cours de triage des chemins de fer. Nous devons faire vite et laisser la place afin de permettre à nos compagnons de déverser leurs cargaisons de bombes. L'opérateur radio avise le poste de commandement, à Sidi el Hani, que les fusées ont été larguées. De ma tourelle, je vois la ville baignée d'une lumière intense et suis des yeux quelques fusées qui tombent dans la mer. Soudain, de puissants projecteurs nous éclairent et des canons antiaériens nous tirent dessus.

À trois reprises, nous sommes touchés par des éclats d'obus. Il n'y aucun blessé et pas de dommages sérieux apparents. Nous quittons la zone alors que les premiers bombardiers arrivent avec leurs bombes. J'observe au sol plusieurs explosions, mais aucun incendie n'éclate cette fois. Qu'ont atteint les bombes ?

Nous changeons de cap pour rejoindre notre base en Tunisie. Trois heures de vol au-dessus de la mer nous en séparent. Je dois rester en alerte, car les chasseurs allemands basés à Capodichino, près de Naples, ont dû repérer des bombardiers.

La monotonie du bruit des moteurs et la nuit profonde et sans nuages me détendent et embrument quelque peu mon esprit. Je passe d'un état de demi-conscience au sommeil et vice-versa. Dans mes rêveries, j'entends la voix harmonieuse d'Esther, puis celle de Wendy qui me répète sans cesse que les aviateurs ne tiennent pas leurs promesses. C'est le pilote qui me secoue et me ramène dans l'équipage :

— *Gill ! this is Andy. Are you still with us ?*

— *OK Andy, I am here. How long before we land ?*

— *Two hours to go !* répond Andy.

À l'est, l'aurore. Un nouveau jour naît. Bientôt un soleil orangé couvrira la Palestine, l'Égypte, le Liban et tout le Moyen-Orient. Ces noms évoquent pour moi tant d'aventures, d'histoires et de mystères. Nous approchons des côtes de la Tunisie encore endormie. Voler au-dessus de la terre semble plus sécuritaire, mais je sais que c'est complètement faux. Le danger pour nous ne cesse qu'une fois au sol.

Après cinq heures et demie de vol, nous rentrons à la base. Comme chez-soi, c'est bien peu, mais tout de même suffisant pour être heureux d'y revenir. Le commandant, des officiers et des pingouins [1] sont témoins de notre arrivée. Ils s'empressent d'inspecter les bombardiers afin de constater les dommages que nous, les pigeons [2], avons infligés à leurs avions. Ils n'auront pour nous aucune sympathie, même si nous avons des aventures palpitantes à leur raconter. Le résultat demeure pour eux le même : ils doivent travailler plus pour remettre les appareils en état.

1. Personnel de terre.
2. Aviateurs.

CHAPITRE 12

RAYMOND BARRY ET MA LESSIVE

Il fait chaud, très chaud, toujours plus chaud. Le thermomètre franchit allègrement la barre des 35 °C. Cela rend la vie difficile, voire impossible. Les tentes sont évidemment invivables. Nous ne trouvons qu'un peu d'ombre sous les ailes des bombardiers. Après le coucher du soleil, la température chute très rapidement et un air frais envahit le désert.

À l'occasion, un représentant du YMCA, responsable des divertissements, monte un cinéma en plein air. La bâche d'un gros camion sert d'écran pour la projection. Une génératrice fournit l'électricité nécessaire au projecteur. Comme plus de 500 hommes vivent sur la base, le cinéma est toujours populaire, quel que soit le film. Assis sur des bancs que nous avons fabriqués avec des caissons de bombes, nous attendons le coucher du soleil pour que le spectacle commence.

Les méchants sont adulés et les bons sont hués. Les films de cow-boys sont très appréciés, alors que les films d'amour font l'objet de blagues et de remarques grivoises. Nous y allons volontiers de commentaires osés. En fait, nous cachons par ces remarques l'ennui terrible qui nous tourmente.

Ce soir, nous irons donc au cinéma. À mesure que l'heure approche se profilent à l'horizon de plus en plus de silhouettes d'êtres humains qui ondulent dans les derniers soupirs du jour. L'une d'elles retient bientôt toute mon attention. Je connais cette démarche. Tout est possible pour l'imagination dans le désert. Mais je ne rêve pas. Et ce ne peut être un mirage : il n'y en a pas la nuit. Je connais cette démarche qui se distingue des autres et qui semble s'avancer droit vers moi. L'homme porte un sac sur son épaule. Et soudain, je sais qui c'est ! Je crie !

— Raymond, c'est toi ?

— Oui Gilles ! Je t'ai rapporté ta lessive que tu avais laissée à Moreton-in-Marsh !

Je ne peux contenir mes larmes. De joie, je lui saute littéralement dans les bras. Il a vu mon message et a récupéré mes effets. Raymond demeure imperturbable devant mon comportement. Il connaît parfaitement le tempérament émotif des Boulanger : il est l'ami de ma sœur Madelon. Il attend que je me calme un peu avant de me narrer son histoire. Pas de cinéma ce soir ! Nous irons à ma tente afin de parler !

Raymond se trouve en Tunisie depuis trois semaines avec l'escadrille 420, les Lyons de Hamilton. Son aérodrome est à 30 milles de chez nous. Quelle veine de nous retrouver ici dans les terres perdues de la Tunisie ! Nous ne savons pas grand-chose de ce qui se passe dans nos familles. La poste est irrégulière et parfois le courrier n'arrive tout simplement jamais. Il est transporté par des navires marchands venant de l'Amérique, et ceux-ci sont souvent victimes des sous-marins allemands. Depuis plusieurs nuits, nos bombardiers ont les mêmes routes et les mêmes cibles. Étions-nous près l'un de l'autre en haut des airs ?

Qui sait ? Raymond est beaucoup plus occupé que moi durant ces raids, puisqu'il est le numéro un, le navigateur. On ne peut pas se passer du navigateur. Pendant que j'observe le ciel pour repérer l'ennemi, le navigateur est à sa table de travail, sous le plancher du pilote, totalement dans le noir. Il n'a pas de hublot et ne peut voir les effets immédiats de nos bombardements. Parfois, il tire le rideau qui le sépare du viseur de lance-bombes et regarde par-dessus ses épaules. Le viseur de lance-bombes s'installe allongé dans le nez de l'appareil, prêt à larguer les bombes. Le navigateur ne voit rien, mais il permet en quelque sorte à l'avion de voir où il est. Curieux travail.

Je lis à Raymond une lettre que j'ai reçue de Robert, mon frère aîné, basé à Patricia Bay sur l'île de Vancouver. Les avions de Patricia Bay font la patrouille sur l'océan Pacifique, à la recherche de sous-marins japonais. Il m'écrit qu'il a une amie du nom de Margery Rice-Jones qui demeure à Victoria. Il est amoureux. Ça me fait chaud au cœur d'avoir de si bonnes nouvelles. De chez moi, je n'ai rien reçu d'autre depuis belle lurette. Revoir Raymond me fait d'autant plus plaisir.

J'effectue des raids sur l'aéroport de Naples, le port de mer de Tarento, les cours de triage de Marettimo, Battibaglia, Castel Nuovo, Eboli, Torre Annunziatta. Nous bombardons aussi Formia à plusieurs reprises. Des bombes, des bombes et des bombes.

Un jour, au retour d'un raid, un de nos avions Wellington s'égare au-dessus du désert. Nous partons à sa recherche. Le chef du groupe assigne aux cinq avions participants une portion d'une étendue de 2 500 milles carrés. Pendant des heures, l'équipage, les yeux rivés sur le sol, cherche l'avion dans cette vaste étendue de sable et poussière. Après cinq heures de vol, nous atterrissons pour faire le plein sur une base américaine du 79e groupe de la 12e Air Force commandée par le général Doolittle.

L'aérodrome est couvert de B-25 Mitchell Bomber, de Marauder et de chasseurs P-38 Lightning au fini aluminium. Ces avions paraissent ultramodernes en comparaison des nôtres. Les Américains n'en croient pas leurs yeux. Nos bombardiers sont recouverts de toile peinte avec des couleurs de camouflage. Ils sont mus par des hélices de bois et n'ont qu'un seul pilote à bord. C'est pour eux un équipage inconcevable. De plus, notre pilote n'a qu'un grade de sergent tandis que le navigateur est un officier... Voilà beaucoup de bizarreries, pour les Américains.

Nous mettons quelques minutes à expliquer qui nous sommes. Nous sommes des Français du Canada associés à la RCAF, et prêtés par la RAF à la US Air Force pour conduire des raids de nuit en Italie après avoir été entraînés en Angleterre. C'est compliqué, mais c'est comme ça ! Quelques-uns d'entre eux ignorent tout à fait que le Canada possède une armée, une marine et une aviation. Ne sommes-nous pas voisins en Amérique ?

Au mess, le choix de mets américains est tout simplement prodigieux. Et tout est disponible en quantité industrielle. Pain frais, jus de tomate, beurre, fromage, spaghetti et boulettes de viande, biscuits, Coca-Cola. Du café aussi, du vrai.

Un DC-3 spécial, que l'on surnomme *The Ice Cream Wagon*, vole d'aérodrome en aérodrome et distribue de la crème glacée aux Américains. Depuis mon arrivée en Tunisie, je n'ai pas encore bu un verre d'eau froide et voilà qu'en plein désert, les Américains m'offrent de la crème glacée ! C'est renversant.

Nous retournons bredouilles à Sidi el Hani. À notre arrivée, on finit par apprendre que cet avion manquant n'est en fait pas des nôtres, mais plutôt un appareil de la RAF basé en Libye. Mais où est-il ? Personne ne le sait.

CHAPITRE 13

À ROME

ORDRE EST DONNÉ DE porter nos revolvers Smith & Wesson en tout temps. C'est le lieutenant-colonel Richer qui nous l'ordonne. La nuit dernière, deux Wellington sont entrés en collision au décollage à la base de l'escadrille 420. Dix aviateurs ont été tués. Du sabotage ? Peut-être. On ne peut pas en tout cas expliquer cette tragédie. Je ne sens guère d'animosité de la part des Tunisiens à notre égard, mais chose certaine, certains d'entre eux ont collaboré avec les Allemands lors de l'occupation. Ici, les Français aussi sont de trop. Les habitants du pays ont espoir qu'un jour ils se libéreront de cet impérialisme venu de Paris. Par crainte de troubles intérieurs, la police militaire a augmenté la sécurité dans la périphérie de notre base. La cadence des bombardements n'est pas diminuée pour autant.

Des rumeurs courent que nos escadrilles seront rapatriées en Angleterre. Nous accueillons avec joie cette possibilité, mais aucun officier ne veut confirmer cette nouvelle. Qu'est-ce qui se prépare du côté de l'Angleterre ?

En attendant, les raids se poursuivent. L'Italie, toujours et encore. Je suis convoqué pour me joindre à l'équipage du lieutenant d'aviation Anderson pour un raid sur Cerveteri, situé au nord de Rome. Nous transporterons 18 bombes de 250 livres chacune.

Avant le départ, le père Laplante bénit, confesse, réconforte et donne la communion. Je suis pour ma part tout à fait indifférent à ces gestes. Oui, je suis d'un pays catholique. Mais qu'est-ce que Dieu peut bien faire au milieu de tant de malheurs ? Ce soir, j'irai bombarder près de Rome et de l'enclave du Vatican, pinacle d'où Sa Sainteté le pape Pie XII, représentant de saint Pierre, dirige la chrétienté universelle.

L'Allemagne et l'Italie sont des pays chrétiens. Nous jetons nos bombes sur des objectifs militaires, mais tout ce feu et ce fer lancés du ciel affectent aussi les habitants des villes. Le ceinturon des Allemands affirme que Dieu est avec eux ! Tout le monde croit en Dieu et plus personne ne croit dans les hommes. Dans cette guerre fratricide, nous demandons en somme au même dieu des chrétiens de nous protéger les uns contre les autres alors que nous nous entretuons. Je trouve peu de réconfort dans cette situation religieuse, pour dire le moins. Comment le père Laplante peut-il résoudre ce dilemme ? Y songe-t-il seulement ? Mes pensées se tournent encore une fois vers ma famille. C'est bien tout ce qui arrive à me rassurer un peu. Il y aussi ma bonne étoile qui semble veiller sur moi.

Cette fois, nous volons trop loin des côtes italiennes pour être ennuyés par les chasseurs allemands. L'île de la Sardaigne apparaît à ma droite. De faibles lumières, ici et là, dévoilent sa présence dans la nuit. Cette lugubre tache sur la mer me donne la frousse. Un peu plus au nord se trouve la Corse, qui vient elle aussi d'être libérée de l'occupation allemande. Un autre pas vers la victoire, nous l'espérons tous. Le navigateur indique au pilote un nouveau cap. Direction :

Cerveteri, un important centre de triage ferroviaire aux abords de Rome.

— *Attention all crew ! This is Andy ! Stop relaxing ! Be alert ! The holiday cruise is over. It could be rough.*

Personne n'en doute. Au briefing, le commandant a insisté sur le fait que les Allemands accordent à ce centre une importance stratégique considérable. Ils vont donc tout faire pour le défendre.

Nous sommes à 125 milles de Cerveteri. De ma tourelle, je vois maintenant à l'ouest les îles de la Corse et de la Sardaigne. Nous serons dans le feu de l'action dans 30 minutes.

— *Crew ! This is Andy. We have the coast in sight. Keep alert.*

La tension monte. L'adrénaline se rue dans mes veines et estompe bien vite toute angoisse. Je me sens invulnérable. Je vérifie mes mitrailleuses et je tire une salve vers la mer. Je scrute le ciel, à gauche puis à droite, le balayant de mes Browning, le pouce sur la gâchette, prêt à tirer 6 000 balles à la minute sur l'ennemi.

— *Crew this is it ! Search lights are on. They know we are coming. Keep alert ! Keep silent !*

Nous ne serions plus rien déjà sans discipline. Notre pilote agit comme un grand patron. Nous devons être unis pendant quelques heures afin de réaliser notre mission et de revenir à notre base. Le succès de la mission et la préservation de nos vies exigent discipline, détermination et, forcément, un esprit de corps. Cet esprit n'est pas fondé sur une amitié quelconque, mais bien sur le désir primitif de survivre.

— *Search lights ahead ! They are waiting for us !* de dire Andy.

Les projecteurs de la DCA dardent leurs rayons dans le ciel, à la recherche d'une proie. Des bombardiers ont déjà atteint la cible. Mes compagnons voient les obus éclater au-dessus de la ville.

Au-dessus de la mer, les canons antiaériens ne peuvent nous atteindre et les chasseurs allemands ne semblent pas au rendez-vous. L'attente du combat est pire que le combat lui-même. Nous sommes à une lieue du port de mer. Les obus explosent tout autour de nous, mais je ne les entends pas. Puis, des bruits anormaux me font sursauter : notre bombardier a été touché par des éclats d'obus.

— *Andy ! did you hear ? We have been touched by flak !*

— *Yes ! Gilles, we heard. Everyone is fine. My instruments all read OK. We are starting our bombing run now.*

La tension monte encore. Ajuster notre course sur l'objectif exige un vol précis alors que notre bombardier progresse plutôt dans le noir, tant bien que mal, secoué par un feu constant de mines antiaériennes. Pendant tout ce temps, les projecteurs de la DCA balaient le ciel de leurs faisceaux qui, comme des bras impalpables, tentent de nous attraper. Nous continuons malgré tout notre course sans dévier. Durant d'interminables minutes, nous attendons que les mots magiques soient enfin prononcés : *Bombs gone.*

Lâchée en dernier, une bombe de phosphore, attachée à un parachute, éclate pour illuminer la scène du malheur. La nuit devient le jour. À 15 000 pieds d'altitude, je vois toute la ville et les cours de triage pendant que l'appareil photo, installé sous le ventre de l'avion, prend automatiquement de nombreux clichés.

Voilà. Tout est terminé. Tous en chœur, avec des voix tonitruantes, nous lançons le « *let's go home !* »

rituel. Comme si on avait gagné, comme si tout était réglé, comme si plus rien ne pouvait nous arriver.

Cap au sud pour la base de Sidi el Hani. Au-dessus de la mer la nuit est belle et calme. Les hélices tournent de concert dans l'air frais de la nuit. Les gros moteurs, libérés de 4 000 livres de bombes et de centaines de gallons d'essence, permettent maintenant à l'appareil d'avancer à 200 milles à l'heure.

À chaque retour de mission, je rêvasse. Je pense à la famille et m'imagine la vie de chacun. C'est le temps des vacances. Papa a dû amener Denis, Suzanne, Monique et Clément au lac Isidore, dans sa Buick, pour y faire un tour et pour pêcher à la mouche. Robert est à Patricia Bay. J'imagine Margot et Madelon à la maison. Je songe à Lorraine et à Gisèle, à mes compagnes d'enfance avec qui je rêvais d'amour. Nous étions si jeunes, si innocents, si tendres. Raymond Côté, Jean-Noël et Roger Paquet, mes cousins Hervé et Roger Boulanger, Léo Boulanger, Lucien Blais et les autres, que font-ils ? Je suis à la guerre. Suis-je le seul à vivre cette guerre ?

— *Attention crew ! Andy here. The port engine is heating up and we are losing fuel. Gilles and Mac, go to the fuel system !*

Le moteur a dû être touché pendant que nous aspergions d'obus la ville de Cerveteri. Ce n'est pas de chance.

Sortir de ma tourelle en vitesse est pratiquement impossible. Je dois détacher mon harnais, aligner la tourelle sur le fuselage, ouvrir les minuscules portes et me glisser à l'intérieur de l'avion, tout en prenant bien soin de débrancher les écouteurs et l'oxygène.

À Moreton, au moment de l'entraînement, j'ai passé plusieurs heures, comme tout le monde, à étudier le système de distribution d'essence de nos Wellington. Le système n'est pas situé dans la cabine de pilotage, mais près de la poutre principale des ailes. C'est là que Mac et moi nous rendons. Après avoir branché nos écouteurs et l'oxygène, nous communiquons avec Andy.

Aucun autre avion n'a un système de distribution de carburant aussi bizarre. Sans savoir exactement ce que nous faisons, nous exécutons les ordres d'Andy. Nous devons couper le robinet n° 2 et transférer de l'essence dans les réservoirs n° 8 et n° 10. Toute la manœuvre dure environ 15 minutes. Puis, soudainement, le bruit que fait l'avion change. Andy a coupé le moteur gauche. « *OK! Gilles and Mac, return to your posts!* »

Andy avise l'équipage que le moteur de gauche a chauffé en raison d'un manque d'huile causé par une rupture de tuyau. Le moteur de droite, au moins, ronronne sans faille. Nous avons canalisé l'essence vers les réservoirs du moteur de droite. Andy a eu le temps de mettre les pales de l'hélice en drapeau afin de l'empêcher de tourner et ainsi créer de la résistance. Tout n'est pas gagné pour autant.

— *Our cruise speed is now down to 150 mph, and we are losing altitude at rate of 200 feet a minute!*

À cette vitesse, nous ne pouvons plus maintenir notre altitude. Combien de temps pouvons-nous tenir en vol si nous poursuivons cette descente de 200 pieds par minute ? Les calculs sont faits rapidement. Nous pourrons sans doute atteindre notre base avec un seul moteur dans une heure et quart. Au pis, nous serons au-dessus de la Tunisie dans une heure. On verra alors où nous en sommes...

Le calme revient. Le bruit a sensiblement diminué. Il y a tout de même la possibilité d'un amerrissage forcé durant la nuit. Sauter en parachute ? Au-dessus de la mer, ce serait tout simplement un suicide. Notre seule chance de survie est de rester à bord, quoi qu'il advienne. Les minutes passent et nos peurs s'amenuisent. Le danger demeure pourtant, mais le seul fait de vivre avec lui depuis un moment nous laisse croire qu'il nous laissera vivre. Au moins, il est peu probable qu'un chasseur ennemi nous coure après, mais je dois tout de même rester vigilant.

Enfin la côte tunisienne, nous annonce Andy. L'horizon oriental semble vivant avec ses jaunes et ses oranges qui annoncent le jour nouveau. Nous y sommes parvenus ! L'avion touche le sol sur les roues avant, rebondit, puis touche le sol à nouveau, un peu plus lourdement. La roue de queue roule enfin sur la piste poussiéreuse. La vitesse diminue lentement. Nous voilà à l'arrêt, enfin. Le moteur est coupé. Pendant un temps, mon corps meurtri de bruits et de vibrations accueille le silence qui entre en moi comme de l'air frais.

L'alouette, une autre fois, est revenue à son nid, les ailes intactes. Peut-on croire qu'à chaque vol elle risque de ne plus jamais revenir ?

CHAPITRE 14

LES ÉTOILES

SITÔT LE SOLEIL COUCHÉ, la nuit s'accompagne d'un air doux qui court sur le sol chaud puis me caresse de sa fraîcheur sensuelle. La nuit nous offre le repos autant que les craintes du jour en condensé.

Je ne connais que l'étoile polaire, ce qui n'est pas fameux pour un petit-fils de marin. Un compagnon navigateur pour qui les constellations n'ont pas de secret guide ma curiosité pour le cosmos. Avec patience, Ian me fait découvrir le ciel et ses constellations.

— L'étoile polaire est la balise de la voûte céleste ! affirme-t-il.

Étendu sur une natte, enveloppé dans ma couverture militaire, le ciel africain brillant d'étoiles me semble si près que j'ai l'impression de n'avoir qu'à étendre le bras pour les cueillir du bout des doigts. Ian m'amène dans les méandres du cosmos, au pays d'Andromeda, de Pégase, d'Aquarius, des Pisces, de Virgo, d'Orion et d'Ursa qui partagent la voûte céleste avec tant d'autres. De l'astronomie nous glissons à l'astrologie.

— *What is your astrological sign ?* me demande Ian.

— *I was born on the third of June 1922.*

— *Then you are a Gemini! Let us find your constellation.*

Après quelques minutes de recherche, là, à l'ouest, tout près de l'horizon, il pointe la constellation des Gémeaux.

— *Does* castor *mean beaver in French?* me demande-t-il.

— *Yes, Ian,* castor *is beaver. Why do you ask?*

— *Well, Gilles, you are in luck! You see the bright star in the constellation? Meet Castor the beaver, Pollux's twin star.*

J'ai plutôt peine à comprendre et à croire ce qu'il me raconte. La fatigue rend le rire plus facile. En chantant et hurlant des mots inventés à Castor, nous dansons des danses indiennes de notre cru. Les fous rires nous tiennent éveillés jusqu'à l'épuisement complet.

— *You are crazy!* me dit Ian en s'éloignant. *I am going to my tent.*

Seul, agenouillé dans le sable, je reprends mon souffle. Le regard fixé sur mon étoile, je ne peux retenir mes larmes. Je regarderai désormais souvent les étoiles dans ma vie. Soldat, pour tuer l'ennui, je m'étends sur ma natte près de ma tente, les yeux au firmament. Mes pensées tournent alors à la rêverie.

J'en ai plus que marre de ce désert. J'en ai marre de tout le pays. Me manquent ces gens ordinaires qui font la vie de tous les jours. Et les filles, les plaisirs, tout ce que j'ai laissé en Angleterre! Je m'ennuie de Wendy.

À l'occasion, je vais à Kairouan visiter les souks. La bouffe tunisienne est bonne, mais rare. Le pays a été ravagé durant les combats. Il manque de nourriture. Heureusement la péninsule du cap Bon regorge de fruits et de légumes. Les musulmans ne mangent pas de porc. L'agneau est le mets principal. La viande de dromadaire est délicieuse, paraît-il, mais je n'en ai pas mangé.

De temps à autre, je reçois des lettres de Papa, de mes frères et de mes sœurs, lettres qui ont pris des mois à me parvenir. Raymond Côté, mon ami d'enfance, m'écrit. Il apprend le métier de bijoutier de son père Ernest. Je ne l'envie pas. Il me dit que les gens chez nous se plaignent du rationnement d'essence. Montmagny est loin de la guerre et de la réalité des Tunisiens. Somme toute, je suis bien content d'être parti à l'aventure.

Leurs lettres me font comprendre que je vis une grande aventure, et que si elle est périlleuse parfois, je n'échangerais pas ma vie pour la leur, qui me semble ennuyante à force d'être sans dangers. Les lettres de Suzanne et de Monique, mes jeunes sœurs, sont comme des contes d'enfants. Celles de Margot et de Madelon sont plus sages. Elles s'inquiètent de moi. Qu'est-ce que je peux leur raconter ? Je ne peux rien écrire sur les opérations militaires, pas même leur dire où je suis, la censure l'interdit. Mes réponses à leurs lettres sont forcément sans intérêt. La guerre, c'est tout ce que je vis, c'est toute ma vie, et je n'ai pas le droit d'en parler !

Les raids de nuit continuent. Je fais des allers-retours au-dessus de la Méditerranée pour bombarder les villes de Formia, Tarento, Torre et Annunziatta. Bien d'autres villes aussi sont frappées par le feu du ciel. Au retour d'un vol sur Formia le 4 octobre 1943, lorsque nous descendons de l'avion, les mécaniciens se ruent vers nous afin de nous annoncer le retour en Angleterre des trois escadrilles canadiennes. Fini la Tunisie ! L'alouette est folle de joie à la pensée de revoir enfin la fière Albion et les *White Cliffs of Dover*.

CHAPITRE 15

DÉPART DE L'AFRIQUE

Le lieutenant-colonel Richer a convoqué le personnel volant à une rencontre spéciale. Il nous annonce que notre mission en Afrique du Nord est officiellement terminée – ce que nous savions tous déjà – et que nous retournons en Angleterre pour un entraînement sur des bombardiers quadrimoteurs Halifax.

Selon une entente entre les forces alliées, plusieurs des bombardiers Wellington sur lesquels nous volons ont été donnés aux forces libres de l'armée de l'air française. Nous devons donc livrer les nôtres à Blida, près d'Alger. Les noms des pilotes qui les livreront sont tirés au sort. Le lieutenant d'aviation Andy Anderson avec qui j'ai volé est un des heureux élus. Je serai son mitrailleur. Quelle veine !

Un brouhaha indescriptible anime toute la base aérienne. Tout le matériel technique doit être déménagé par chemin de fer. Le 11 octobre, à 9 h 30, en groupe plutôt qu'en formation, les six Wellington – *Freddy*, *Baker*, *Victor*, *Québec*, *Delta* et notre *Juliette* – quittent Sidi el Hani pour Blida, en Algérie. Les bombardiers atteignent une altitude de 8 000 pieds avec un cap de 272° pour atteindre la ville de Sétif, en Algérie.

Je me régale des paysages montagneux qui défilent sous mes yeux. Le ciel d'Afrique du Nord appartient aux aviations alliées. Il est sans danger. Le survol des monts Atlas est surprenant, avec ses montagnes et ses vallées parfois verdoyantes, parfois dénuées de toute végétation. Puis ce sont les villes de Constantine et de Sétif que nous survolons. Arrive enfin Alger, dont les maisons, les édifices et les forteresses sont peints en blanc. Alger la Blanche surplombe la Méditerranée dont le bleu se perd sur les sables dorés du continent africain. Alger !

L'un après l'autre, les Wellington touchent la piste goudronnée de Blida. C'est leur dernier vol avec nous. Un mécanicien nous guide vers une aire de stationnement. Quelques officiers nous accueillent. Nous leur remettons nos six avions. Il n'y a aucune cérémonie officielle pour la remise de ce magnifique cadeau aux troupes françaises.

Des militaires de l'armée française nous prennent en charge. Âmes, armes et bagages, ils nous entassent dans des camions qui nous transportent à Fort de l'Eau, en bordure du port d'Alger. Quelques tentes ont été aménagées pour nous sur la plage. Nous sommes les premiers arrivés. Nos camarades voyagent dans un convoi ferroviaire sur une voie unique à bord de wagons pouvant recevoir indifféremment huit chevaux ou 40 soldats...

Il n'y a pas de cuisine, ni d'ailleurs aucun service. Nous devons nous débrouiller jusqu'à l'arrivée de l'intendance. De petits cafés bordent la plage et offrent une nourriture du pays. Plusieurs sont la propriété d'Algériens d'origine française. Mon accent attire beaucoup l'attention, ce qui me donne l'occasion d'offrir quelques cours d'histoire abrégés au sujet du Canada français.

Anderson est le chef de notre groupe. Selon la tradition militaire britannique, le plus haut gradé tient le rôle de commandant. Mais que ce soit lui ou un autre, la vie n'est pas très dure à Alger. Dès le réveil, nous allons nous baigner à la mer. Nous vivons en touristes et nous allons à la ville tous les jours. Le port de mer a été touché par les bombardements, mais je n'observe que peu de dégâts dans la ville. Impossible de se balader dans les rues sans se faire offrir des objets de faïence, de cuivre, des tapis, des mosaïques et des objets d'art inusités. Des guides multilingues offrent des tours de ville. Alger est si vaste et si dense que je décide, avec des compagnons, de retenir les services de l'un d'eux, un Algérien d'origine française.

La journée entière est riche en découvertes, révélant un passé exceptionnel. Je suis frappé par l'histoire de ce pays, marqué durement par les occupations et les dévastations. Tous les peuples qui ont convoité cette partie du monde y ont laissé leurs traces. Les Grecs, les Phéniciens, les Romains, les pirates, les Arabes, les Français, les Allemands. Et c'est maintenant notre tour. La Casbah, cette forteresse au milieu d'une forteresse, nous est interdite. La légende veut que si l'on s'y égare, on ne puisse en sortir. C'est un repaire de voleurs autant que de bordels, à ce que l'on dit... Notre guide nous y conduit.

Après le départ des Allemands du Maghreb, la France ne s'est pas fait scrupule de réinstaller son emprise sur son empire colonial. L'Algérie a beau être son joyau le plus précieux, notre guide français n'en montre pas moins un mépris marqué pour les indigènes.

Alger me fascine. Près de la Bibliothèque nationale, avenue Fanon, je vois des marins anglais en conversation animée avec des jolies filles. Ils ont peine à se faire comprendre. Je m'adresse aux filles en français et aux marins en anglais, pour le plus grand plaisir de l'un et l'autre groupe. Les marins m'invitent à visiter leur sous-marin, en rade dans le port d'Alger. Nous prenons rendez-vous pour le lendemain. Comme d'habitude, j'ai éveillé la curiosité des filles avec mon curieux accent français. Elles sont institutrices dans un lycée, tout près. Leurs mots chantent à mes oreilles. On dirait de la soie. Tout en elles s'anime lorsqu'elles parlent, et pas seulement leur bouche et leurs lèvres. Elles ressemblent à ces actrices françaises qui me faisaient tant rêver lorsque j'allais au cinéma Cartier à Québec, alors que j'étais étudiant à l'École technique. Depuis que j'ai quitté Montmagny, je n'ai vécu qu'en anglais. Je réalise en Algérie à quel point ma langue maternelle me manque. J'ai envie de parler. Et les filles... Je tente de les retenir, de les charmer. Peine perdue : elles doivent retourner au lycée. L'une d'elles me dit, en prenant congé de moi :

— J'ai hâte de dire à mes parents que j'ai rencontré un Français d'Amérique.

Le lendemain, je me rends au quai pour voir le sous-marin. Les marins demandent la permission de m'amener à bord. L'officier du jour me demande des preuves d'identité. Les *dog tags* qui ne quittent jamais mon cou sont les seules preuves que je possède. C'est suffisant. Ces plaques de forme octogonale sont fabriquées de fibres indestructibles. On y trouve les inscriptions suivantes : « J. H. G. Boulanger, R55490, RCAF, RC (Roman Catholic), Blood type O. »

Je me glisse dans le sous-marin par la petite échelle de la tour. Je ne peux visiter que la salle des contrôles où est située le périscope. L'espace est si exigu que tout déplacement s'avère difficile. Même si le sous-marin est amarré à un quai, je me sens en danger. Quelle affaire que d'être sous-marinier ! Les marins m'expliquent leur métier. J'explique en retour ce que je fais. Nous tombons vite d'accord pour ne pas échanger de travail...

Nous sommes à Alger depuis le 11 octobre. Le départ de notre bateau, le *MS Samaria*, est prévu pour le 26. L'intendance arrive finalement, avec les autres membres de notre escadrille. Dès le 25, nous pouvons monter à bord. Le lendemain, à 3 h 30, nous quittons la rade d'Alger. À bord, plus de 3 000 militaires. Nos trois escadrilles à elles seules comptent 1 500 aviateurs, mécaniciens et administrateurs. Il y a aussi des marins, des soldats et des aviateurs français qui vont se joindre aux Forces libres du général de Gaulle en Angleterre.

Maintes fois, je discute avec ces soldats français de la défaite de leur pays. À nouveau je constate qu'ils se divisent entre giraudistes et gaullistes. Je suis déconcerté par leurs disputes.

Ces militaires ont été tenus hors combat depuis l'armistice signé avec l'Allemagne par le maréchal Pétain, président du gouvernement de Vichy. Une partie de la France est en principe non occupée, sans compter les colonies. Mais le gouvernement de Vichy a collaboré avec l'Allemagne jusqu'en Algérie, d'où des milliers de Français se sont enfuis pour rejoindre le général de Gaulle en Angleterre. Mais ils se méfient des Anglais, l'ennemi historique tout autant que les Allemands.

Avant l'arrivée des Alliés en Afrique du Nord, ces jeunes Français des colonies étaient soumis eux aussi à l'autorité du régime de Vichy. Ils sont sympathiques, mais je les trouve malheureux, visiblement humiliés. Ils ont du mal à comprendre qu'un Canadien de langue française soit au Maghreb pour défendre leur patrie. Je leur offre ma petite histoire du Canada. J'y ajoute, non sans orgueil, que je me suis engagé volontairement, tout comme mes 1 500 copains aviateurs à bord du *MS Samaria*. Enfin, j'explique que je fais la guerre depuis 1940, année de la capitulation de la France. Je me bats donc en quelque sorte pour la liberté de la France depuis plus longtemps qu'eux !

Chaque fois que l'un d'eux fait une remarque sur mon accent, je lui réponds en blaguant que si moi j'ai un accent, eux ils en ont cent différents. Il faut avoir l'oreille bien fine pour les comprendre tous. C'est à leur tour alors d'entreprendre de défendre leur patrie par les mots et de retrouver ainsi, par le bonheur d'appartenir au pays d'une langue, les origines de leur fierté autant que leur honneur perdu.

Je leur parle de mon ancêtre Claude Lefebvre né en 1649 à Vigny, près de Paris, qui, sous le règne de Louis XIV, émigra en 1663 en Nouvelle-France. Il était analphabète, comme sans doute plusieurs de mes ancêtres. Au Canada français, nous sommes restés attachés à la mère patrie bien que, depuis la conquête par les Anglais en 1759, elle se soit peu souciée du sort des 60 000 colons d'origine française.

— La langue que vous avez du mal à comprendre est celle de vos ancêtres ! Mais lors du traité entre l'Angleterre et la France, Paris a préféré le sucre des îles des Caraïbes à la neige du Canada. Nous sommes pourtant encore là à vous défendre !

Je me dis que si ces jeunes soldats français vont au combat pour gagner la guerre, ils le font pour rien. La guerre, ils l'ont perdue à jamais en 1940. Leur collaboration avec l'Allemagne de Hitler et les nazis les marquera pour des générations. Nous gagnons la guerre sans eux. Nous sommes en train de la gagner. Nous allons gagner. Eux, ce qu'ils doivent seulement voir à reconquérir, c'est leur honneur perdu.

À l'aube du troisième jour en mer nous apparaît l'imprenable rocher de Gibraltar. Il y a quelques mois, je le survolais. La perspective est complètement différente depuis la mer. Pour les marins de l'Antiquité, le rocher de Gibraltar signifiait ni plus ni moins que l'on arrivait au bout de la terre.

Des destroyers apparaissent et nous accompagnent dans le détroit. À l'horizon, je vois les côtes du Maroc, puis celles de l'Espagne. De l'autre côté de ce détroit, c'est l'Atlantique, où les sous-marins allemands se cachent. Nous devons porter nos gilets de sauvetage en tout temps.

Rester complètement inactif durant ces longues journées en mer devient désagréable. Le temps est doux. Nous restons sur les ponts aussi longtemps que possible. Seule la pluie arrive à nous ramener à nos cabines.

Au septième jour de mer, nous assistons à un combat entre des destroyers et des sous-marins. On entend les canons, les explosions de bombes anti-sous-marines. Que s'est-il passé exactement ?

Des avions patrouillent tout autour de notre convoi afin de déceler à l'aide d'un sonar les mouvements des sous-marins. Le convoi s'éloigne des côtes du Portugal et fait un grand détour afin d'éviter les Junker 88 basés sur l'île d'Ouessant en Bretagne. Nous avions pris la même précaution en avion il y a quelques mois. Inutile de tenter l'aviation allemande !

À l'approche de l'Angleterre, le temps change et devient très froid. Après neuf jours de navigation, par un temps gris et pluvieux bien anglais, nous arrivons à Liverpool. Sur les quais, une fanfare de l'armée nous accueille avec les airs joyeux de *Sand in My Shoes*, *We Will Meet Again* et d'autres chansons d'amour de Vera Lynn. Appuyé au bastingage, larme à l'œil, ému, je fredonne…

Vider un navire de ses 3 000 occupants n'est pas une mince tâche, d'autant plus que nous devons nous soumettre un à un à un examen médical visant à détecter les parasites. Sitôt enlevés, nos vêtements tropicaux sont brûlés.

Quel accueil !

Après plus de 24 heures d'attente, les équipages et les mécaniciens montent enfin dans un train pour le Yorkshire. Ils vont rejoindre les OTU pour un entraînement avec des bombardiers quadrimoteurs Halifax.

Mon cas est particulier, puisque je n'ai pas d'équipage. Un officier du Bomber Command[1] pour le Bomber Group n° 6 me dit que l'escadrille des Alouettes sera basée à Tholthorpe, dans le Yorkshire. Puisque je n'ai pas d'équipage, je dois me rendre là-bas sans plus attendre. On me remet une passe de chemin de fer valide en tout temps sur le réseau, puis on m'ordonne de me rapporter à l'adjudant.

Bienvenue en Angleterre ! L'alouette a quitté la volée. Je suis seul.

1. Le commandement de la Royal Air Force chargé des opérations de bombardement.

CHAPITRE 16

AU ROYAUME-UNI

QUEL BONHEUR D'ÊTRE englouti à nouveau dans le tourbillon de tous ces gens affairés qui se hâtent vers leur destin à pied, en taxi, en autobus ou en tramway. Les bruits de la circulation, quel plaisir ! La pluie fine et une journée grise n'affectent pas ma bonne humeur. Aujourd'hui, la vue de visages de femmes souriantes, d'enfants bruyants dans leur costume d'écolier, de marins, de soldats, d'aviateurs et de civils plus pressés les uns que les autres m'est un véritable plaisir.

Un taxi me dépose à la gare. Je m'adresse au comptoir de services pour les militaires itinérants et, en un rien de temps, la préposée me remet mes billets pour le long voyage jusqu'à Ripon, dans le Yorkshire, via Manchester, Leeds et York. Les gares sont bondées. À la périphérie de ces grandes villes, les trains ralentissent et se faufilent comme par miracle sur des voies bien à eux, à travers des milles de rails et de wagons. Me reviennent alors à la mémoire les cours de triage que nous avons bombardées en Italie et qui devaient être tout à fait semblables à celles-ci. Que de dégâts avons-nous pu causer en cette seule nuit du 17 septembre lors du raid sur Cerveteri, au nord de Rome...

Arrivé trop tard à Ripon pour pouvoir continuer, je passe la nuit à l'hôtel. Je prends l'autobus pour Tholthorpe après un petit déjeuner anglais. Sur le bas-côté gauche de la route, puisqu'ici on roule à gauche à l'inverse de notre usage en Amérique, l'autobus à deux étages fait de nombreux arrêts pour prendre ou déposer les gens du pays. Nous voyons défiler fermes et villages qui, en ce jour de pluie, sont si sombres que je commence peu à peu à regretter le soleil de l'Afrique.

Le village de Tholthorpe comporte un étang de 100 pieds de diamètre, quelques canards, un pub et cinq maisons. Voilà Tholthorpe. Après quelques pas, je demande à un passant la direction pour me rendre à la base aérienne. Il pointe le pont et, avec un accent incompréhensible, m'indique le chemin. Après 10 minutes de marche, j'aperçois une baraque militaire. Mes papiers vérifiés, un policier de la RAF m'avise qu'il n'y a pas d'avions ici et que la station n'est tout simplement pas active ! Je demande à parler à l'adjudant de l'escadrille 425. Pas là, mon adjudant. On me pointe l'horizon. On me dit qu'un peu plus loin, là-bas, je trouverai sûrement des bureaux administratifs.

Tout cette affaire me semble très étrange. Me voilà au beau milieu de champs où des fermiers besognent, mais il n'y a pas ici le moindre signe d'une base aérienne. Arrivé enfin à la baraque, je trouve l'adjudant du 425.

— Je suis le capitaine d'aviation Saint-Amour, adjudant du 425.

Le saluant, je lui réponds :

— Monsieur, sergent Gilles Boulanger, mitrailleur du 425 de retour de Tunisie. À vos ordres.

Après une longue conversation – et une tasse de thé –, l'adjudant me dit qu'il va me loger dans le *dispersal* n° 4 et que je suis libre de mon temps jusqu'à l'arrivée des escadrilles, c'est-à-dire dans six semaines ! Je lui présente mon carnet de paye et lui dis que je n'ai tout simplement plus d'argent.

— Le paie-maître est ici et vous êtes son seul client.

À vrai dire, je suis en effet bien seul ici. Le *dispersal* n° 4 consiste en cinq *Nissen huts* d'acier et tout autant de huttes pour les douches et les toilettes, et j'y suis le seul et unique résidant. Pour six semaines ! Tout un changement par rapport à l'Afrique.

Il ne se passe pas un jour depuis mon départ d'Alger sans que je pense à Wendy. Au village, au bord de l'étang, j'utilise le téléphone de la boîte téléphonique écarlate. Ces boîtes téléphoniques ressemblent à des abris de sentinelles. Je téléphone chez sa mère qui me dit que Wendy est maintenant à Perth, en Écosse. Je note le numéro de téléphone. Après plusieurs essais et attentes, j'entends enfin sa voix.

— *Hello Wendy, this is Gill !*

— *Who is this ?*

— *Gill, the Frenchman from Canada.*

Elle se met à rire.

— *When did you come back ?*

J'explique. Une semaine de mer. La Tunisie. Le sable. La chaleur. Le retour, seul. Je lui dis que les aviateurs reviennent parfois...

— *Wendy, can I come up and see you in Perth ?*

Elle hésite longuement puis me dit qu'elle est fiancée à un lieutenant de la Marine royale, un sous-marinier.

— *I will be married next month...*

Ah ! Tout le scénario que j'avais échafaudé plus ou moins clairement dans mon esprit s'écroule d'un seul coup avec fracas. Durant ces longs mois en Tunisie, Wendy avait hanté mes désirs les plus voluptueux et les plus fous. Tout n'a été que chimères, bien sûr. Balbutiant des adieux et des bons vœux, je raccroche le combiné, tout penaud.

Assis près de l'étang, tout à fait insensible aux coin-coin des canards en quête de nourriture, je reprends doucement mes esprits. Il n'y avait eu qu'une nuit d'intimité à Londres, après tout. Il n'y avait donc aucune raison pour qu'elle m'attende. Suis-je bête ! Elle avait déjà perdu Raymond, son amant, dans un accident d'avion. Pourquoi m'aurait-elle attendu ? Notre nuit d'amour sous les bombes à Londres avait été une expérience sensuelle grisante mais sans lendemain. Voilà tout.

En Angleterre, tous les jeunes sont à la guerre. L'Empire, dit-on, doit être sauvé ! Tous les citoyens anglais font des efforts incroyables pour gagner cette guerre. Chacun sait pourtant que la victoire n'est pas pour demain. Les pertes de vies sont énormes et incertaines les chances de simplement en sortir vivant. Quant à savoir si nous allons vraiment gagner comme nous le croyons... Wendy sait tout cela, comme tout le monde. Elle veut survivre. Il lui faut un compagnon, un mari. Le fait que son fiancé soit par ailleurs officier dans la marine est pour elle un gage de prestige social important dans une société anglaise très hiérarchisée. La Marine royale veille sur l'Empire et protège son droit d'aînesse avec force contre le prestige récent de l'armée de terre et de la Royal Air Force.

Tout de même bien dépité, je retourne à ma chambre. Encore quatre semaines à attendre mon escadrille. Quatre semaines ! J'aurais aimé partir cette nuit même pour un raid et éloigner ainsi mon désarroi. Je me sens seul, très seul, tout à fait perdu dans les champs du Yorkshire. La nuit venue, j'entends le vrombissement lugubre des moteurs de nos avions. Je scrute le ciel afin de voir ces centaines de bombardiers en route pour porter la consternation et la destruction sur l'Allemagne. Ces engins charrient la mort avec eux. Je le sais mieux que quiconque.

Impossible de tenir aussi longtemps sans rien faire. Ce matin, je pars pour Londres. Je n'ai pas d'autorisation à demander, après tout. Alors je me sers de ma passe des chemins de fer. Le paie-maître m'a remis les sommes d'argent qui m'étaient dues depuis mon retour de Tunisie. J'ai ce qu'il faut pour me lancer dans les rues de Londres ! Dans quelques heures, Londres est à moi.

Wendy m'avait montré comment utiliser les transports en commun dans la capitale. En un rien de temps, j'arrive au Maple Leaf Hotel, situé dans l'arrondissement de Kensington. La ville de Londres, je le constate, se défend fort bien des bombes lâchées par la Luftwaffe. Les journaux de la capitale font grand état des rencontres de Churchill et Roosevelt avec Tchang Kaï-chek au Caire, puis avec Staline à Téhéran, afin de décider des grands enjeux. En cette fin de novembre 1943, nous osons de plus en plus croire que nous gagnerons la guerre... Mais personne n'ose en prédire la fin prochaine.

CHAPITRE 17

L'IRLANDAISE

Le gigantesque palais de danse qu'est Hammersmith constitue certainement l'endroit idéal à Londres pour faire des rencontres. J'y fais la connaissance de Kathleen Ross. C'est une belle Irlandaise, aux cheveux roux et aux yeux verts. Elle travaille dans un laboratoire de verre optique où l'on fabrique des lentilles pour les appareils photo aériens.

Elle est veuve. Elle a deux enfants qu'elle a confiés à sa mère à Belfast.

— Nous étions mariés depuis 10 ans, me confie-t-elle. Ma fille a sept ans, mon fils neuf. Je vais les voir à Belfast, une fois par mois.

— Kathleen, je suis à Londres seulement pour deux jours. Pouvons-nous nous rencontrer demain pour le déjeuner ?

— Bien sûr, me dit-elle. Rendez-vous au Lyon's Corner House sur Piccadilly Square.

Le lendemain, tel que convenu, nous prenons un repas au Lyon's. Le rationnement alimentaire ne permet pas des menus très variés, mais c'est tout de même plus agréable d'être ici qu'à Tholthorpe.

Nous profitons du beau temps pour nous promener : Piccadilly, Marble Arch, Leicester. Nous allons aussi marcher dans le magnifique Hyde Park. Pour la première fois, je vois de majestueux cygnes blancs, dont la protection est assurée par la famille royale. Ensuite, nous nous rendons au London Bridge puis à la Tour de Londres, où les bijoux de la couronne britannique sont aujourd'hui gardés.

— Cette nuit, Kathleen, tu veux bien rester avec moi à mon hôtel ?

— *Yes, Gill, but I must leave early tomorrow morning.*

Après le spectacle au cabaret The Windmill, nous prenons le *Tube train* pour l'hôtel Maple Leaf à Kensington. De 10 ans mon aînée, elle transforme ses chagrins en des moments de volupté intense qui durent toute la nuit. Elle me raconte qu'elle s'est mariée à 18 ans et que son mari travaillait pour les chemins de fer comme électricien. Il a été tué lors d'un raid aérien...

— Tu vois, me dit-elle, je le croyais en sécurité. Je ne peux pas m'apitoyer sur mon sort de femme. Il y a des milliers d'histoires plus tristes que la mienne. Dans toutes les familles des êtres aimés ont été victimes de la guerre. Des aviateurs se sont perdus dans les jungles de la Birmanie, des marins se sont perdus en mer. Dans toutes les familles, il y a des soldats morts ou blessés. Et que dire des prisonniers de guerre. Chacun de nous vit un drame terrible causé par la guerre. Toi, Gill, tu es chanceux jusqu'à maintenant. Tu te prépares à l'assaut de l'Allemagne, mais tu es chanceux... Tu as dû lire dans les journaux ou entendre les histoires d'avions perdus lors des raids. Crois-tu vraiment que tu t'en sortiras indemne encore longtemps ?

— *Yes, Kathleen... I cannot think about what will or will not happen.*

— Gill, j'aimerais partir pour la guerre. Je serais un bon soldat. Les hommes partent à la guerre et laissent les femmes. Il y aura des milliers de veuves après la guerre et il n'y aura pas d'hommes pour toutes ces femmes. Je voudrais partir à la guerre aussi...

— Kathleen, j'ai une cousine qui a marié un Irlandais du nom de Maurice Walsh. Quand j'ai quitté Montmagny elle avait 14 enfants ! Toi, avec ta belle chevelure rousse, tes yeux verts et ton visage rosé, je te prédis maris et amants, puis tout autant d'enfants que ma cousine Gabrielle ! Tu rendras bien des veuves malheureuses. Tu sais, Kathleen, mon grand-père était un marin au long cours et il a parcouru les mers à la voile. Dans ses mémoires, il parle d'une escale dans le port de Queenstown, en Irlande. Il dit peu de chose de ce port de mer, mais il insiste sur la beauté des Irlandaises. Je constate qu'il ne ment pas. A-t-il couché lui aussi avec une belle rousse ?

Avant l'aube, notre rage de vivre est apprivoisée, ses pleurs se sont apaisés. Nos corps plus calmes, vidés de leur énergie, nous sommes en proie à un fou rire incontrôlable qui sape nos dernières forces. Nous sombrons alors dans un profond sommeil.

La lumière du jour nous réveille. Après le petit déjeuner, une dernière étreinte, un dernier adieu, puis nous nous quittons, sans promesse aucune.

À mon retour à Tholthorpe, le capitaine d'aviation Saint-Amour m'avise que je pars avec lui pour la base de Linton-on-Ouse pour mon entraînement sur les quadrimoteurs Halifax. Nous partons demain matin en *staff car* !

L'alouette retourne à la guerre. Enfin.

CHAPITRE 18

DE NOUVELLES PLUMES POUR L'ALOUETTE

IL Y A DEUX escadrilles en permanence à Linton-on-Ouse, en plus d'un centre d'entraînement pour les équipages qui doivent changer d'appareil. Ces équipages passent d'un bombardier bimoteur à un bombardier quadrimoteur. Comparés à nos bons vieux Wellington, les Halifax sont des monstres avec leurs quatre moteurs.

Un soir, j'assiste au départ de 30 Halifax pour un raid sur Berlin. La sécurité interdit comme toujours les communications radiophoniques entre les avions. Depuis une minitour placée près de la piste, les contrôleurs autorisent les départs en se servant uniquement d'une lampe Aldis.

La tombée de la nuit donne à l'horizon de ce triste automne une luminosité lugubre. Les silhouettes des quadrimoteurs Halifax se découpent dans le ciel, éclairées à contre-jour. Ce sont 210 membres d'équipage à leur poste dans les fuselages qui font route vers l'Allemagne. Les 120 moteurs Pégasus de 1 675 chevaux-vapeur chacun font rugir les bombardiers. Ces gros Halifax portent 360 000 livres de bombes. Ils seront au-dessus de Berlin dans trois heures pour y déverser le malheur.

Quelques pas seulement me séparent de la ligne de départ des avions. J'observe les manœuvres. J'échange des saluts avec les mitrailleurs en poste dans leur tourelle. Les moteurs poussés à plein régime entraînent ces monstres coléreux sur la piste. Le bombardier n'a qu'une piste de 5 000 pieds pour décoller. Une fausse manœuvre ou un bris mécanique conduit tout droit à la catastrophe.

Je suis enivré par le bruit autant que par les émanations tourbillonnantes d'essence et d'huile qui se dégagent de chaque avion. La seule pensée que ce spectacle se reproduit sur des dizaines d'aéroports dans le Yorkshire et le Lincolnshire grise mes sens d'un sentiment d'invulnérabilité. Oui, j'ai hâte de reprendre le combat. J'ai hâte de voler.

Le vrombissement des moteurs s'éloigne et l'ivresse me quitte peu à peu. Les mitrailleurs que je saluais il y a quelques minutes à peine reviendront-ils ? Les raids sur Berlin sont violents. Les Allemands défendent avec détermination leur capitale. Chaque raid voit les pertes de la RAF et de la RCAF augmenter.

Quelques jours plus tard, le 1er décembre 1943, je complète mon premier vol d'entraînement sur un Halifax MKIII. La tourelle arrière est aussi une Boulton Paul, identique à celle du Wellington. Pour le pilote, le navigateur, l'opérateur radio, l'ingénieur mécanicien et le viseur de lance-bombes, l'entrée dans l'avion se fait par une échelle dans la partie avant du fuselage. Les mitrailleurs arrière et supérieur entrent dans le fuselage par une trappe située à l'arrière de l'avion.

Pour atteindre mon poste, je dois me rendre tout au bout du fuselage en passant près de l'*elsycan*, une toilette qui est dissimulée par un rideau noir ridicule. Le décollage est bruyant. Le vent créé par la vitesse s'introduit de toute part dans ma tourelle. En plus de mon habituel *battledress*, je porte une combinaison, des gants et des bottes chauffés à l'électricité.

Nous survolons les Moors, les landes du Yorkshire, pendant une heure. Puis vient une série d'essais, de posés-décollés[1] plus ou moins réussis, qui me laissent meurtri. Les pilotes sont des apprentis sur ces nouveaux appareils. Durant la semaine, le même scénario se répète. L'entraînement réussi, je retourne enfin à Tholthorpe.

Depuis une semaine, les nouveaux arrivants sont nombreux et peuplent notre base. Quelques bombardiers et leurs équipages sont en poste. Moi, je n'ai toujours pas d'équipage. Je reste donc un simple mitrailleur de rechange.

Le mois de décembre au Yorkshire est triste. De la pluie, des nuages, le froid. On n'arrive jamais vraiment à chauffer notre *Nissen hut*, équipée d'une mauvaise fournaise au charbon. Le charbon est en plus de piètre qualité, sans compter le fait qu'il est rationné ! Nous gelons. La nuit, nous sortons pour essayer de trouver du bois pour alimenter notre misérable poêle. Tout y passe. Des portes de douches et de toilettes sont transformées en combustible. Des fermiers se plaignent à l'adjudant que des poteaux de clôtures autant que des planches disparaissent de leur ferme. Seul le printemps mettra un terme à ces escapades nocturnes de bûcherons sans forêt à abattre.

1. Exercice de décollage et d'atterrissage.

À l'approche de Noël, la nostalgie du temps des Fêtes au pays des neiges s'empare de nous. Nos familles nous manquent. Quand pourrons-nous retourner à la maison ? L'alouette est mélancolique.

CHAPITRE 19

VICTIME DE CUPIDON

La NAAFI (Navy, Army and Air Force Institutes) est constituée de volontaires, des femmes surtout, qui ont pour mission de gérer des cantines volantes dans les gares de chemins de fer, les bases militaires, les aéroports, bref, partout où se trouvent des hommes sous l'uniforme. Au menu, du thé, des biscuits, des chocolats chauds et du café imbuvable. Mais ces volontaires trouvent réponse à toutes nos demandes. Ils sont indispensables.

La NAAFI s'occupe aussi de l'organisation de loisirs pour les aviateurs de Tholthorpe. À la veille de Noël, nous sommes invités à une soirée de danse. Un camion, dans lequel on a installé des bancs pour l'occasion, nous emmène à un manoir qui sert de lieu de rencontre aux militaires, aux aviateurs et aux marins de la région.

Dans le hall d'entrée, les membres de la NAAFI nous accueillent avec des gâteries diverses. La soirée s'annonce agréable. L'endroit est bondé. Au son de la musique d'un trio de musiciens, les danseurs s'en donnent à cœur joie.

Dès mon arrivée, je vois une WAAF (Women's Auxiliary Air Force[1]) adossée à une porte, en conversation avec une copine. Sa longue coiffure blonde, nouée à la hauteur de la nuque, attire tout de suite mon attention. Une indisciplinée, me dis-je, puisque pareille coiffure est contraire au code vestimentaire des WAAF. Évidemment, cela me plaît beaucoup !

Je m'approche d'elle. Je tape légèrement sur son épaule. Elle se retourne et un joli sourire sensuel s'échappe immédiatement de ses lèvres charnues. Ses yeux bleus m'éblouissent.

Balbutiant, je me présente :

— *My name is Gill Boulanger. You are standing under the mistletoe and this means that you wish to be kissed. In respect to British traditions, I feel obliged to kiss you.*

— *Sergeant, my name is Marie Rees and I respect our traditions.*

Un long baiser s'ensuit et me voilà totalement épris. Cupidon me vise en plein cœur. Quelle chance ! En un rien de temps, nous nous retrouvons sur le plancher de danse.

Nous dansons sans nous lasser l'un de l'autre. À cette blonde d'Albion, je donne un petit cours d'histoire du Canada, et en particulier sur ce que signifie d'être un Canadien français dans le dominion de son roi, Sa Majesté George VI.

Marie Rees est opératrice de télétype à la tour de contrôle à Tholthorpe.

— *Your name is Marie and not Mary. Why ?*

1. Personnel féminin de la RAF.

Une fantaisie de sa mère, m'explique-t-elle. Sa sœur jumelle, Grace Ann, est aussi dans la WAAF, mais en service à Londres.

— *Marie, may I see you tomorrow ?*

— *No, Gill, I am leaving for London for Christmas to visit my family. I will be back on the tenth of January.*

Pas de chance ! J'insiste tout de même. Puis-je au moins la voir dès son retour ?

— *For sure Gill ! I would love to see you when I return.*

Un petit goûter, des échanges de vœux et la soirée se termine par le chant traditionnel écossais *Auld Lang Syne*, connu des francophones sous le nom de *Ce n'est qu'un au revoir*. Marie retourne à Tholthorpe avec ses copines, au *dispersal* des filles.

Le mauvais temps perturbe nos vols d'entraînement tandis que les conférenciers se succèdent afin de nous expliquer toutes les caractéristiques techniques du Halifax. Je dresse un tableau personnel des éléments principaux qui distinguent cet avion :

Envergure : 99 pieds (30 mètres)
Fuselage : 72 pieds (22 mètres)
Moteurs : 4 Bristol Hercules, 1 615 CV moteur radial
Pesanteur : 65 000 livres (29 484 kg)
Bombes : 13 000 livres (5 897 kg)
Plafond : 23 000 pieds (7 000 mètres)
Ascension : de 0 à 23 000 pieds (7 000 mètres) en 45 minutes
Carburant : 965 gal Imp (4 387 litres) ou 1 550 gal Imp (7 046 litres) selon la charge embarquée
Autonomie : 1 000 milles (1 609 km) à 1 900 milles (3 057 km)
Vitesse de croisière : 227 mph (365 km/h)
Vitesse de décrochage : 100 mph (160 km/h)
Tourelles : 2 Boulton Paul de 4 mitrailleuses ch. calibre .303
Mitrailleuse : 1 Browning de calibre .50 à la position ventrale

L'envergure de l'appareil est imposée par le ministère de la Défense britannique à cause de la largeur des portes des hangars déjà existants : ils n'ont que 100 pieds d'ouverture. Nous n'avons pas de hangars pour ces avions sur nos aérodromes, seulement des ateliers de réparation. Par conséquent, nos Halifax doivent dormir à la belle étoile.

Je me rends à plusieurs séances d'entraînement au champ de tir. Me voilà à abattre des pigeons d'argile avec un fusil de chasse ou à l'aide d'une carabine. Nous nous entraînons aussi sur des cibles statiques, avec des mitrailleuses Browning de calibres .303 et .50.

Il faut aussi savoir envisager le pire. Nous pratiquons des évacuations du bombardier en cas de catastrophe. Réussir à fuir de ma tourelle en cas d'urgence n'est décidément pas une chose facile. L'opération exige une suite de mouvements très précis.

Nous sommes le 10 janvier 1944 : j'effectue enfin mon premier vol à bord d'un Halifax, avec l'équipage du sergent de section Murray. Un simple vol de jour de 45 minutes. Je suis installé dans la tourelle du mitrailleur supérieur (*mid-upper gunner*). Cette tourelle, située au centre de l'avion, est moins isolée que celle située à l'arrière. La visibilité est exceptionnelle. Je vois en fait l'avion tout entier dans ma ligne de tir. Ce pourrait être parfaitement dangereux si des dispositifs de sécurité n'empêchaient pas mes mitrailleuses de tirer lorsqu'elles ont dans leur mire l'avion lui-même.

Ce jour même, Marie arrive tel que promis. Elle reprend son poste d'opératrice de télétype à la tour de contrôle. Les rencontres intimes sont presque impossibles. Coup de chance : mon ami Yvon Côté, officier pilote, part en permission et me prête sa chambre dans le *dispersal* des officiers qu'il partage avec un autre officier aussi en permission. Pendant deux nuits, Marie et moi jouons au chat et à la souris avec les gardes pour rejoindre notre nid d'amour temporaire. La redécouverte de l'un et de l'autre est intense. Deux nuits de rires et d'émerveillement, au nom de l'amour éternel que l'on se jure volontiers l'un à l'autre. Contrairement aux aventures amoureuses qui m'avaient initié à l'amour physique, je suis troublé cette fois-ci, inquiet du désir de posséder autant que d'être possédé.

Quelques jours plus tard, le 20 janvier, je fais mon deuxième vol avec l'ami Yvon et son équipage. Yvon est de la ville de Québec. Je suis cette fois un simple passager, ce qui me donne la chance d'occuper le siège du copilote. Dans la RAF-RCAF, il n'y a pas formellement de copilote. Ainsi, lors d'exercices de bombardement, le siège est libre. Pour la première fois, je peux toucher aux commandes de l'appareil. Yvon me fait tourner l'avion à gauche, puis à droite. Nous montons jusqu'à 18 000 pieds pour y mettre l'avion en mode de croisière. Je réalise enfin mon rêve d'enfant, celui que le Curtiss « Jenny » avait engendré en moi au temps de mon enfance à Montmagny. Pendant plus de trois heures, nous traversons le ciel nuageux du Lincolnshire et du Yorkshire, sans danger aucun. Je suis aux anges, d'autant plus que j'ai obtenu une permission !

J'ai obtenu deux jours pour me rendre à Londres afin de rencontrer les parents de Marie. Elle et moi partons de York par train, au matin du 21 janvier. Nous arrivons à Londres pour trouver la ville dans une grande agitation en raison d'une alerte au bombardement. À la sortie de la gare de Paddington, nous courons nous réfugier dans un bunker situé à deux pas de là. Des familles entières, des gens de tous âges, les bras chargés de quelques biens auxquels ils tiennent, s'engouffrent dans cet abri antibombes. À l'intérieur règne un calme surprenant. Les enfants ne sont pas spécialement apeurés. Les parents les amusent et les réconfortent. Le bunker est plein. Nous y restons pendant une bonne heure. Au loin, nous entendons les bombes exploser. Notre bunker résiste, sans secousses, sans même perdre son éclairage électrique. Au bout d'une heure, le *All Clear* retentit : nous pouvons sortir au grand air. Dehors, tout le monde s'active.

Des camions de pompiers arrivent de partout. Les policiers et les ambulanciers sont à l'œuvre. Pourtant, il ne semble pas y avoir de dommages à proximité de la gare. Les Londoniens, très habitués à ces raids, sont calmes. Sitôt un bombardement terminé, ils reprennent leurs occupations comme si de rien n'était. Plusieurs fois déjà, Marie a dû se réfugier dans les bunkers ou les gares du *Tube* lors d'attaques aériennes. Son calme extraordinaire me donne confiance, me réconforte. Elle me raconte qu'en 1941, après une nuit d'intenses bombardements du centre de Londres, elle s'est rendue au matin aux bureaux de la compagnie de caoutchouc où elle travaillait comme secrétaire pour constater la destruction totale de l'édifice.

Marie éprouve une grande admiration pour les femmes russes qui travaillent dans les fermes collectives. Elle s'est engagée à son tour dans la Land Army, une organisation mise sur pied par le gouvernement et dont le but est d'aider les fermiers anglais durant l'absence de leurs enfants partis défendre la patrie. La belle blonde de la ville a évidemment attiré maints désirs amoureux de la part des fermiers, impressionnés par son habileté à s'occuper des cochons autant qu'à traire les vaches. Mais une violente attaque d'appendicite a exigé son hospitalisation. Elle a subi d'urgence une opération. De nouveau sur pied, elle a pensé que le service dans la RAF serait moins difficile pour elle.

Nous prenons le *Tube train* de Paddington. Quelques minutes après, nous débarquons à la station de Highbury. Dix minutes de marche, dans le noir total, et nous arrivons au 13, Highbury New Park, chez M. et Mme Edgar et Mary Rees. Leur logis est situé au rez-de-chaussée de l'immeuble. M. et Mme Rees m'accueillent chaleureusement.

M. Rees est un vétéran de la guerre 14-18. Il a servi dans l'armée britannique comme sous-officier. Il était cantonné dans la forteresse impériale d'Aden, stratégiquement située pour interdire l'accès à la mer Rouge aux ennemis de l'Empire. Désormais spécialiste en communications téléphoniques, il travaille pour la Poste royale, à titre de responsable de la téléphonie à Londres. Temps de guerre oblige, Mme Rees a été recrutée pour sa part pour effectuer du travail à temps partiel dans une maison de fabrication d'optiques. Tous les citoyens travaillent pour la victoire.

Mme Rees prépare le thé, breuvage indispensable dans la vie quotidienne des Anglais. Je parle longuement de ma famille, de Papa. Mme Rees est issue d'une famille de 13 enfants dont elle est la seule fille. Trois de ses frères ont péri durant la guerre de 14-18. Comme il n'y a que deux chambres à coucher, M. Rees m'a loué une chambre chez le voisin d'en haut.

La chambre est austère et humide. La propriétaire m'offre une bouillotte brûlante pour faire fuir quelque peu l'humidité de mon lit. Je tarde à dormir. Au réveil je retourne chez les Rees pour le petit-déjeuner.

L'appartement de la famille Rees est exigu et aménagé avec des meubles anciens. Le salon sert aussi de salle à manger. La pièce est chauffée au charbon, grâce à un minuscule foyer. C'est en fait la seule source de chaleur. Il fait froid. Tout est humide. Je le trouve plutôt inconfortable. Mais je fais bien attention de ne pas me plaindre. Les Anglais ne se plaignent jamais, eux.

— *How are you?*

— *It could be worst!*

Le flegme légendaire des *British* n'est pas un mythe. Je le constate tous les jours.

Dans la petite cour arrière se cache un jardin, et tout au fond un poulailler avec une vingtaine de poules. En saison, un potager produit assez de légumes pour atténuer les effets du rationnement imposé à tout le pays. Des milliers d'habitants de Londres ont transformé les magnifiques parcs de la ville en potagers. M. Rees est allé plus loin. Sans expérience aucune, il a décidé d'élever des poules afin d'avoir des œufs à volonté.

Il a obtenu un permis d'élevage de volaille. Avec ses 20 poules, il peut garder une douzaine d'œufs et vendre les autres contre des coupons pour se procurer le grain nécessaire à les nourrir.

Nos deux jours de vacances terminés, nous retournons à Tholthorpe.

CHAPITRE 20

RETOUR À LA GUERRE

CETTE NUIT, 2 FÉVRIER 1944, je vais accomplir mon premier raid sur l'Allemagne. Je fais partie de l'équipage d'Yvon Côté. Le *tannoy*[1] nous convoque pour un briefing à 16 heures. La pensée du retour au combat est excitante. La rencontre avec les équipages dans la grande salle de briefing est tapageuse. Quelle différence avec celles de Tunisie qui étaient plutôt informelles et se faisaient en plein air ! Sur le mur du fond est affichée une grande carte d'Europe sur laquelle est tracée la route que nous devrons suivre. L'adjudant fait l'appel des équipages. Cela fait, il ordonne aux gardes armés de ne laisser pénétrer personne sans la permission du commandant.

D'une voix tonitruante, il réclame le silence :

— *Gentlemen, attention !*

Alors tous se taisent, et d'un bond tout le groupe se lève. Le commodore de l'air McEwen entre :

— *Gentlemen, you may sit down.*

S'adressant en anglais aux 150 aviateurs, il livre ce message :

1. Haut-parleurs (du nom du manufacturier).

— Pour plusieurs d'entre vous, ce raid sera votre première opération en territoire allemand. Je souhaite la bienvenue aux équipages de retour d'Afrique qui ont terminé avec succès l'entraînement pour passer des bombardiers Wellington aux bombardiers Halifax. Félicitations. Votre cible cette nuit est Brême, ville industrielle au nord-ouest de l'Allemagne, près de la frontière hollandaise. La RAF, assistée de la RCAF, a pour mission de détruire les grandes villes industrielles de l'Allemagne afin de lui enlever les moyens de continuer la guerre. Bonne chance.

Selon le protocole, l'adjudant, d'une voix forte, clame un :

— *Gentlemen !*

Tous se lèvent et le commodore quitte la salle. Ce protocole ne varie jamais. Les officiers de la météo, des armements, de la mécanique, de la navigation, de la radio et du radar présentent les données techniques du raid. Il nous faudra plus de trois heures de vol avant d'atteindre la cible. Afin de confondre les chasseurs ennemis, la route qui nous conduit à celle-ci n'est jamais en ligne droite. Ce soir, nous mettrons d'abord le cap sur un point précis de la mer du Nord, pour bifurquer ensuite vers la Hollande, puis nous diriger vers Brême.

Notre charge est de 12 000 livres de bombes par avion, soit neuf bombes de 1 000 livres et six de 500 livres. La durée totale du raid sera de 6 h 30 min. Le météorologue présente les dernières informations sur les conditions atmosphériques le long de notre parcours. Les navigateurs s'empressent de les noter, sachant bien toutefois que ces rapports météo sont le résultat de déductions hasardeuses.

L'officier de l'armement fait aussi son exposé et ses recommandations ainsi que le responsable de la mécanique des moteurs. Le briefing dure plus d'une heure. Le commandant d'aviation McLernan est le commandant de l'escadrille des Alouettes. Son bombardier a été abattu au-dessus du Danemark, il y a quelques mois. Il a évité d'être capturé grâce à des résistants danois. Il a fui en Suède, un pays neutre, où il a été interné selon la convention de Genève. Les services secrets britanniques sont allés l'y chercher avec un avion des services spéciaux.

Je me rends à la tour de contrôle voir Marie pour lui faire mes adieux. La consigne m'interdit de lui parler de notre prochaine cible. Sur les ordres de l'adjudant, elle a affiché par télétype, au groupe 6 du Bomber Command, le départ des bombardiers et les noms des aviateurs. Elle a vu mon nom. Elle sait que je pars. Avec la complicité de ses copines, elle peut quitter son bureau pendant quelques minutes et enfin seuls, nous nous disons des mots d'adieu accompagnés de baisers passionnés. Elle pleure. Nous nous laissons ainsi.

J'ai hâte de retourner au combat, mais cela ne va pas sans craintes. Je suis de moins en moins sûr de sortir vivant de cette aventure. Nous perdons de plus en plus de bombardiers. Les escadrilles qui ont occupé cette base ont été décimées. On en parle peu. Les raids sur l'Allemagne sont remplis de nouveaux dangers. Les vols sont plus longs et se font à plus haute altitude, et l'ennemi possède des armes de défense qui nous étaient inconnues en Afrique.

Je me rends au *crew-room* [2] et je mets beaucoup de temps à m'habiller. Je commence par le sous-vêtement,

2. Salle de rencontre pour les membres des équipages.

dit *long johns*, puis j'enfile une combinaison couverte de fils électriques chauffants. Viennent ensuite mon *battledress*, mon *flying suit*, mon harnais de parachute et finalement ma ceinture de sauvetage « Mae West ».

Avant d'entreprendre cette corvée, je me rends aux toilettes, car une fois l'avion décollé, je n'aurai plus cette possibilité durant les sept heures de vol. Comment pourrais-je sortir de ma tourelle, me rendre à l'*elsycan* au milieu du fuselage, me brancher sur la prise d'oxygène et enlever mon attelage avant qu'il ne soit trop tard ? Je ne manquerais pas de souiller mes vêtements, avec pour résultat probable des courts-circuits dans la combinaison électrique, me brûlant par le fait même la plante des pieds. À la guerre comme à la guerre.

Dans la pénombre, les équipages sont transportés en camion vers leurs avions disséminés un peu partout à la périphérie de la base dans des alvéoles de stationnement.

Le moment est arrivé d'embarquer dans mon oiseau de guerre.

CHAPITRE 21

L'ALOUETTE SE DÉFEND

LORS DE VOLS D'ENTRAÎNEMENT durant le jour, j'ai observé le territoire qu'occupe la base dans ce petit comté du Yorkshire. Les sentiers de bitume reliant les alvéoles, les hangars et les baraques de l'administration sont les voies pour accéder aux 40 bombardiers. Pareils aux fils d'une toile d'araignée qui s'entrecroisent, ils semblent le tissu qui soutient l'unique piste d'envol au cœur de cette toile.

Le père Laplante fait sa tournée de prières, de confessions et de bénédictions auprès des membres de l'équipage. Il est accompagné d'un pasteur protestant. Je n'ai rien à confesser à Dieu.

Le pilote signale que le temps est venu de prendre nos postes. Le mitrailleur supérieur et moi entrons par la trappe arrière et je me dirige vers la queue par un corridor qui se rétrécit à mesure que j'avance. À ma droite se trouvent les caissons de balles .303 qui me barrent quasiment la route. Les dévidoirs des balles suivent la paroi du fuselage et plongent sous la tourelle pour alimenter les Browning. J'ouvre les portes coulissantes de ma tourelle. Après avoir déposé mon parachute sur le support à cet effet, pieds en premier, je hisse et glisse mon corps vers le siège, je baisse la tête et entre dans la tourelle. J'attache ma ceinture de sécurité et connecte mon oxygène. Viennent ensuite le micro et le rhéostat qui contrôle l'intensité de la chaleur de mon habit de vol.

— *Skipper,* ici Gilles.

— Oui Gilles, communication 5 sur 5. Vérifie ton matériel et avise-moi une fois terminé.

— *Roger.*

Avec une tige d'acier, je charge les culasses des mitrailleuses et je remets l'outil dans son étui. Avec ma main droite, j'actionne une manivelle qui fait tourner la tourelle à bâbord, puis à tribord.

— *Skipper,* ici Gilles, vérification terminée.

— *Roger and out,* de dire Yvon.

Mes écouteurs bourdonnent des échanges entre l'ingénieur mécanicien et le pilote. J'entends le bruit sourd du premier moteur lancé, suivi rapidement par les trois autres. Ils ronronnent allègrement. Une fumée d'huile, opaque et lourde, s'introduit par maints orifices dans ma tourelle. Je sens par les vibrations des quatre moteurs Hercule toute la puissance du bombardier qui s'éveille. Le géant n'a plus sommeil.

Pendant 20 minutes, les membres de l'équipage passent au peigne fin les listes de vérification. Les moteurs exigent la plus grande attention. Si un problème majeur est détecté, nous serons cloués au sol.

Afin que l'ennemi ne puisse nous repérer, le silence radiophonique est de rigueur. La puissance des moteurs est accrue et lentement le bombardier quitte son aire de repos, chargé à bloc d'essence et de bombes. Avec agilité, le pilote se sert des moteurs, donnant de la puissance tantôt à gauche, tantôt à droite pour guider le monstre sur l'étroite bande de bitume qui nous conduit à la piste. Un geste malheureux et notre avion s'embourberait dans la terre vaseuse qui borde la piste.

Bientôt, des dizaines de bombardiers sont alignés à la queue leu leu sur les pistes d'accès, prêts pour le départ. Notre bombardier s'avance avec bruits et grognements lourds comme une truie prête à mettre bas. Le contrôleur pointe son feu vert sur l'avion et nous prenons place au bout de la piste. Le pilote fait un dernier appel à l'équipage et met les gaz à fond.

Le bombardier chargé de six tonnes de bombes et plein de carburant est lui-même une bombe. Une maladresse, un incident mécanique et sa colère se retournerait contre lui. À la vitesse d'une tortue, il roule sa masse sur son train d'atterrissage surchargé et après d'éternelles secondes, l'arrière du fuselage quitte le sol en soulevant ma tourelle. Les moteurs rugissant de plus belle, la vitesse de l'air s'accélère sous les grandes ailes et notre Halifax, défiant la gravité, s'envole lourdement dans la nuit.

Le navigateur nous dirige vers une position magnétique au-dessus de la mer du Nord. L'avion traverse plusieurs couches de nuages et termine son ascension à 23 000 pieds d'altitude sous le regard des étoiles. À la vue des avions sortis des nuages, ma peur des collisions diminue. La fin du jour trace l'horizon d'un fin ruban de clarté. Elle change en ombres chinoises les Lancaster et les Halifax qui dévorent la distance nous séparant de Brême.

Sitôt alertés, les chasseurs de la Luftwaffe partiront de bases en Hollande et en Belgique pour venir à notre rencontre. Pour garder secrète notre cible, nous changeons de cap toutes les heures. Cette manœuvre a aussi pour but d'épuiser les réserves de carburant des avions ennemis, les forçant ainsi à retourner à leur aérodrome respectif pour faire le plein.

La masse informe des bombardiers a maintenant été repérée par les radars et tous les moyens seront mis en œuvre pour les arrêter. D'abord, les chasseurs dirigés par les radars monteront à notre altitude pendant que nous sommes au-dessus de la mer. Ceux-ci se mettront en position pour nous tirer dessus avec leurs canons. Les bimoteurs Junker 88 sont les plus redoutés.

Nous sommes plus vulnérables si nous quittons la volée ou nous en éloignons. Celle-ci est formée de 500 bombardiers en vagues de 100 avions, 20 milles séparant la première vague de la dernière.

Je vois des balles traçantes parcourir la nuit, signe que des chasseurs attaquent les bombardiers. Soudainement, à bâbord, une immense explosion. Un bombardier a dû être touché en plein dans la soute aux bombes. Je rapporte l'incident au navigateur qui inscrit dans son livre de bord l'heure et la position de l'impact.

L'adrénaline m'envahit et je lance des invectives insensées entendues de moi seul. C'est de la folie, car je ne suis pas à armes égales. Le bombardier doit absolument éviter le combat, ne pas attirer l'attention et se cacher dans les nuages. Nous approchons de la côte hollandaise et le pilote rapporte que droit devant nous, à quelques milles seulement, des faisceaux de lumière balaient le ciel sans arrêt. La chasse commence.

— *Attention crew! this is it, we are getting some flak!*

En un rien de temps, tout change. La turbulence causée par les bombes qui explosent près de nous ballotte notre avion comme un jouet. Puis un objet inconnu frappe le fuselage et ma tourelle. Je mets quelques secondes à réaliser que ce sont des éclats des bombes qui nous sont destinées. Des faisceaux illuminent le ciel et tentent de nous empoigner.

— *Skipper!* des faisceaux de lumière nous ont repérés ! Je suis aveuglé par l'intensité des rayons.

— *Skipper ! Start evasive actions to the left. Corkscrew ! Corkscrew !*

À cet instant, Yvon, le pilote, fait plonger l'appareil vers le sol, virant à gauche puis à droite dans le but de nous dégager de ces faisceaux qui convergent sur nous. Les manœuvres sont violentes. Selon la tactique, nous volons à une vitesse vertigineuse, en plongeant sur les phares afin de leur échapper par des manœuvres rapides, de gauche à droite. Par la suite, nous reprenons l'altitude perdue pour rejoindre le groupe.

Je suis en état de tension extrême. C'est comme si l'adrénaline ne suffisait plus pour me contenir. Après un moment, j'arrive à me resaisir. Le bruit des moteurs n'a pas changé. Le pilote fait l'appel de l'équipage et, bien qu'ébranlés, mes compagnons ne sont pas blessés.

— *Skipper !* change de cap pour 270°. Nous serons à Brême dans une heure, de dire le navigateur.

Pourrons-nous y arriver ? De ma tourelle, je vois des avions qui tentent désespérément de fuir les phares. Tout près de nous, un Lancaster pris dans un cône de lumière plonge en spirale afin de leur échapper. Il disparaît de ma vue. Sans cesse je scrute le ciel, le pouce sur la gâchette de mes mitrailleuses, prêt à les actionner toutes.

En un clin d'œil, l'ombre fuyante d'un chasseur passe à angle droit près de ma tourelle. Il doit avoir une cible plus facile en vue. Tout se passe si vite que je n'ai pas le temps d'en aviser l'équipage. Nous volons au-dessus d'une zone industrielle très défendue. Puis les faisceaux de lumière disparaissent, signe que les chasseurs prendront la relève des canons.

Ce raid ne ressemble en rien à ceux que nous avons faits en Italie. Là-bas, en traversant la Méditerranée, nous avions quelque répit. Ici, dans le ciel allemand, nous sommes constamment aux aguets.

— *Crew ! I see Bremen a few miles away. It is easy to find. It is burning furiously.*

Plusieurs bombardiers ont atteint la ville et déversé leurs bombes incendiaires. Des centaines de faisceaux de lumière éclairent de nouveau le parcours. Une bataille terrible fait rage dans le ciel, bataille étrange, car nous, nous n'entendons que le bruit de nos moteurs. Les feux de la ville projettent une lueur rouge orange dans le ciel et éclairent les bombardiers volant sous notre appareil. Les explosions de bombes antiaériennes nous secouent. Des avions en feu perdent de l'altitude et disparaissent de ma vue.

— *Skipper, open bomb doors !* demande le viseur de lance-bombes.

Les portes sous le fuselage s'ouvrent. Il active le bouton de lancement.

— *Steady... steady. Bombs gone,* de dire le viseur de lance-bombes.

Le Halifax, libéré de son énorme charge, fait un bond vers le haut de plusieurs centaines de pieds. Les portes des soutes sont refermées. La fusée éclairante s'échappe de l'avion, s'allume, et la caméra sous le fuselage prend une photo de la ville en flammes. Je ne peux m'empêcher de regarder vers le sol. Nos bombes culbutent sur elles-mêmes pour aller rejoindre les milliers d'autres qui torturent la ville. Pendant une demi-heure, les vagues d'avions déferlent sur Brême.

Il est impossible de quitter rapidement cet enfer. Nous appartenons à une meute que nous ne pouvons pas laisser. Le cap doit être maintenu. En périphérie de la ville, nous entamons un long cercle vers le sud, puis nous mettons le cap vers la Belgique.

Nous sommes des centaines de milles à l'intérieur du territoire ennemi. L'avion délivré de ses bombes et d'une grande quantité de carburant, notre vitesse de croisière augmente. Échapperons-nous pour autant aux dangers ?

CHAPITRE 22

L'ALOUETTE A PEUR

À 230 MILLES À L'HEURE, l'avion s'éloigne de la tempête de feu qui fait rage dans la ville de Brême. Seuls les mitrailleurs voient les flammes lancer des nuages de fumée colorée qui montent jusqu'à notre altitude. Un instant, je suis séduit par l'infernale beauté.

Le skipper me ramène à la réalité :

— *Crew ! this is the Skipper ! Keep alert !*

Des bombardiers endommagés perdent de l'altitude et, dans un ultime effort pour se rendre en Angleterre, quittent la volée. En échange d'une perte d'altitude, ils gagneront de la vitesse leur permettant d'atteindre peut-être les côtes anglaises.

Nous traversons la Hollande vers la Manche. Anxieux, je reste aux aguets, activant ma tourelle de droite et de gauche, balayant le ciel de mes mitrailleuses. Nous volons à quelques centaines de pieds au-dessus des nuages et à la moindre alerte, nous y plongerons.

Les heures passent sans incident et je relaxe quelque peu. Soudainement à ma gauche, je vois une ombre émerger des nuages. Je reconnais la silhouette d'un Junker 88. J'appuie sur la gâchette, mes mitrailleuses crachent leurs balles et je crie :

— *Skipper ! Dive ! Dive !*

En un instant, nous nous retrouvons dans une obscurité totale. Le radar allemand avait conduit le chasseur à 500 pieds de nous. Au bout de 20 minutes, le pilote remonte au-dessus de la couche de nuages. Le chasseur n'est plus à nos trousses. Nous rasons le sommet des nuages et la vitesse est enivrante.

— *Crew ! this is the Skipper !* Nous sommes au-dessus de la Manche.

La tension diminue à la seule pensée que nous serons bientôt en territoire anglais. Le *skipper* nous rappelle constamment de demeurer vigilants. À chaque silence un peu trop prolongé, nous entendons le même refrain :

— *Crew ! stay alert !*

Le black-out couvre le royaume. Une balise de grande intensité lumineuse révèle en code morse la position de notre base cachée dans la nuit. Cette balise, ce petit point de lumière nous appelle, nous invite à rentrer à la maison. À sa vue, nos cœurs bondissent de joie.

— *Skipper to the crew, I have our coded flashing beacon in view.*

Nous amorçons la descente et nous approchons la base à 8 000 pieds d'altitude.

— *Base, this is Halifax LW147 approaching for landing.*

— *Halifax LW, this is Base.*

— *Descend to 6 000. You are n° 12. Wait for further orders.*

— *Base, Halifax LW147. Roger.*

Les échanges entre le pilote et les contrôleurs sont brefs et précis. Nous ne pourrons voir la piste qu'à

3 000 pieds d'altitude, lorsque nous serons alignés sur elle.

Les roues et les volets s'abaissent. La vitesse diminue. L'avion touche le sol et roule sur ses roues avant. Lentement, la roue arrière touche le sol à son tour. Le Halifax, à vide, roule légèrement sur la piste bordée de lampes à l'huile. Puis, à la toute fin, il dégage la piste et suit une jeep qui l'escorte jusqu'à son alvéole.

Les moteurs coupés, les bruits et les vibrations cessent. J'ai envie de vomir. Je suis étourdi, les moteurs bourdonnent encore dans mes oreilles dans un silence insupportable. J'ai peine à quitter la tourelle. Depuis plus de six heures que je suis enfermé, mes muscles sont endoloris. Je me rends péniblement vers la sortie. Je suis épuisé. Mes pas sont incertains.

L'air frais et les odeurs des champs du Yorkshire me surprennent. Il y a quelques minutes à peine, nous étions dans un enfer de feu et de bruit. Soudainement, nous sommes entourés de silence et de paix. La sensation est indescriptible et irréelle.

Un camion nous conduit à la salle du rapport de vol. En attendant, fumer une cigarette calme mes nerfs. Arrivés au centre, nous déposons notre équipement de vol et nous allons libérer nos vessies. Les WAAF nous servent un café au rhum. Lentement les langues se délient et il se forme un brouhaha de voix chargées d'émotions et de rires nerveux.

Assis autour d'une table, nous racontons notre voyage à l'agent des services secrets. Le navigateur a inscrit dans le livre de bord les incidents. Le Junker 88 sortant des nuages comme d'une boîte à surprise l'intrigue. Après 20 minutes d'échanges, nous quittons la table pour le mess et le déjeuner.

L'odeur des œufs et du bacon frits ouvre nos appétits endormis. Les conversations vont bon train.

Nous sommes surpris d'être vivants, mais n'osons pas en parler. Le jour se lève gris comme il s'était couché. Je retourne à ma *Nissen hut* avec mes compagnons. Je regagne mon lit. Les oiseaux chantent le jour. Au loin, un fermier s'affaire sur son tracteur aux tâches journalières. Comment pourrais-je lui raconter mes six heures d'effroi ?

CHAPITRE 23

L'ALOUETTE ET LE ROI GEORGE VI

SUITE À UNE NOTE laissée dans mon casier, je me présente au bureau de l'adjudant Saint-Amour que nous appelons affectueusement « le Saint ».

— Gilles, tu dois te rendre dès aujourd'hui à Allerton Park, au quartier général du groupe n° 6 du Bomber Command.

Sait-il pourquoi ? Est-il arrivé un malheur dans la famille ? Serais-je transféré à une autre escadrille ? Il n'en a aucune idée.

Les transferts sont fréquents entre les escadrilles et le quartier général. Quelques heures plus tard, papiers en main, je me présente à la guérite de la Royal Air Force Police.

— *Sergeant Boulanger, go to office n° 24 and check with the adjudant's office.*

L'adjudant m'annonce que j'aurai une entrevue avec le commodore de l'air McEwen dans 10 minutes. Je suis stupéfait !

Qu'ai-je fait pour être convoqué par le grand patron du groupe n° 6 ? N'étant qu'un petit sergent mitrailleur, à ma connaissance, je n'ai rien fait pour attirer l'attention de mes supérieurs !

J'ai vu de loin ce commodore lors de départs des Halifax pour les raids. Le commodore McEwen, que nous avons baptisé du sobriquet de Black Mike, a les cheveux noirs et un regard perçant. C'est un aviateur chevronné et qui digère mal les incompétents, à ce que l'on dit.

Les fesses serrées, mais d'un pas militaire sûr, je me place devant son bureau et le salue d'une voix ferme, main sur le front.

— *Sir, Sergeant Boulanger reporting.*

— *At ease, Sergeant, sit down please.*

J'enlève mon képi, je prends la position de repos et je m'assois. Je vois le commodore feuilleter un dossier avec attention.

— Sergent Boulanger, vous avez servi en Afrique du Nord avec le 425. Je vois dans votre dossier que vous avez 18 raids à votre crédit comme mitrailleur arrière.

— Oui monsieur, et j'y suis habitué maintenant.

— Vous êtes natif de Montmagny. Vous écrivez à votre famille ?

— Oui monsieur. J'ai quatre frères et quatre sœurs. Mon frère Robert est aussi dans la RCAF, à Patricia Bay sur l'île de Vancouver, dans l'administration.

— Sergent Boulanger, je vous ai convoqué pour vous annoncer que le roi George VI vous décerne le grade d'officier dans la RCAF avec le rang de sous-lieutenant d'aviation. Je me fais un devoir de rencontrer mes officiers. Je vous félicite.

Pendant un moment, je reste immobile sur ma chaise, puis avec vigueur, je me lève, je remets mon képi et salue mon supérieur. Il me serre la main et me souhaite bonne chance.

Je n'ai qu'une envie, c'est de sortir de son bureau et reprendre mes sens. Il ne m'était jamais venu à l'idée qu'un tel honneur pourrait m'être accordé. J'ai peine à contenir ma joie. De retour à Tholthorpe, l'adjudant me remet une enveloppe et puis me conduit au bureau du lieutenant-colonel Lionel Leconte, commandant des Alouettes.

Le commandant me félicite. Après quelques minutes de conversation, je me retire. L'adjudant me donne des informations sur mon changement de statut. L'enveloppe contient un coupon pour un uniforme d'officier. Je retourne à ma *Nissen hut*. Je ne dis rien de cela à mes camarades, trop impressionné par ce qui m'arrive.

Je dois déménager chez les officiers et m'inscrire à leur mess. La pensée que les sous-officiers devront me saluer selon les règles m'intimide.

Marie et moi avons pris l'habitude d'aller à York assister aux représentations d'opéras, aux ballets et aux concerts symphoniques. J'aime particulièrement l'opéra. Ce monde artistique est toute une découverte pour moi. Marie a l'habitude de ces choses, car depuis son enfance, elle accompagne sa mère aux concerts et dans les musées.

Ce soir-là, nous allons à York voir le ballet *Les Sylphides*. Après la présentation, nous allons au Betty's Bar, le lieu de rencontre favori des aviateurs canadiens à York. Je commande deux Guinness et, levant mon verre, je lui dis :

— *Marie, I have something very important to tell you. I have been commissioned an officer of His Majesty the King as of today.*

— *Gill, is this true ?*

— Marie, parole d'officier.

Elle ne peut cacher sa joie. Décidément, elle n'est pas une Anglaise traditionnelle. Je lui fais remarquer que son comportement est *very un-British*. Elle me fait raconter ma visite chez le commodore et je parodie la rencontre pour sa plus grande joie et celle de nos voisins de table.

Marie téléphone à ses parents et à sa sœur Grace pour annoncer ma promotion. Nous irons les visiter bientôt.

Parfois, je nous arrange un rendez-vous intime dans la chambre que je partage avec un autre officier dans nos quartiers. À la Saint-Valentin, nous allons à notre petit hôtel de Boroughbridge. Depuis que je suis officier, l'hôtelier et son épouse sont plus accueillants pour le *Frenchman* aux mœurs légères et sa maîtresse anglaise. Noblesse oblige. Nous avons voyagé à moto. Lors du souper, Marie me dit, songeuse :

— *Gill, I have something to tell you... I am pregnant !*

Et elle fond en larmes.

Cette nouvelle m'étonne. Elle me dit qu'elle n'avait pas son stérilet un seul jour... Elle est au bord de l'hystérie et j'ai peine à la calmer.

— *Marie, do we love each other ?* Si oui, pourquoi ne pas nous marier ?

— *Gill, are you sure that you want to marry me ?*

— *Yes, I want to marry you. Tomorrow is St-Valentine's day. Let's get engaged.*

— *Gill, you are proposing ?*

— *Marie, life may be short for both of us. I am going to be the father of your child and then, he would have a name.*

La nuit est remplie de pleurs, de rires et de tendresse. Dès le matin, Marie téléphone à Grace pour lui annoncer la nouvelle de nos fiançailles et lui demander d'en aviser leurs parents.

L'alouette est piégée.

CHAPITRE 24

L'ALOUETTE ET LE COMMODORE

LA NUIT DU 19 février, je fais partie de l'équipage du sergent de section Côté pour mon 21e raid. La cible est la ville de Leipzig près des frontières polonaises.

La logique des Anglais est étonnante. Nous sommes deux officiers parmi les sept membres d'équipage à bord du Halifax LW 417, piloté par le sous-officier Côté. En principe, cela fait de nous ses supérieurs. Mais, quel que soit le rang du pilote, il est comme le capitaine de navire, c'est-à-dire seul maître à bord.

Le Bomber Command dirigé par le maréchal Harris a pour mission de détruire l'Allemagne industrielle. Les villes sont continuellement bombardées non seulement par notre aviation, mais aussi par l'aviation américaine basée en Angleterre. Des milliers de bombardiers quadrimoteurs des deux forces aériennes partent d'aérodromes du nord, du centre et du sud de l'Angleterre pour larguer sans relâche des tonnes de bombes sur l'Allemagne. Le maréchal croit que de cette façon, bientôt l'ennemi se rendra.

Les journaux de Londres nous informent sur ce qui se passe dans les territoires de guerre. Nous savons aussi que la conquête de la Forteresse Europe par nos armées assurera la victoire. Notre maréchal, surnommé Bomber Harris, reçoit aussi parfois le surnom de Butcher Harris. Est-il le boucher des Allemands ou le nôtre ? Le nombre de bombardiers perdus augmente sans cesse. L'ennemi se défend avec force et détermination.

L'évêque protestant de Chichester s'interroge sur la légitimité morale des raids sur les villes allemandes. Certains journaux ne croient pas que l'Allemagne va capituler sous nos bombes. Londres en 1941 ne s'est pas rendue à la Luftwaffe. Pourquoi donc l'Allemagne serait-elle différente ? En réalité, les raids de 1940 et de 1941 avaient eu un effet contraire, car les Londoniens ne perdirent jamais l'espoir qu'un jour les Alliés gagneraient la guerre. L'Angleterre, par la voix de Churchill, avait affirmé qu'elle ne se rendrait jamais aux nazis.

Aujourd'hui, le pays est comme un gigantesque porte-avions ayant à son bord les plus grandes armées de tous les temps qui attendent le jour de l'invasion de la Forteresse Europe.

Où et quand l'invasion aura-t-elle lieu ?

Il est minuit et le temps est venu de prendre nos postes dans le Halifax. Le pilote Yvon Côté est le premier à embarquer. Une échelle, sous le nez du bombardier, donne accès aux postes de l'équipage. Le pilote prend place aux commandes sur le siège gauche de l'appareil. La complexité des instruments est évidente. Les lire correctement est un défi.

C'est ensuite le tour de l'opérateur radio, le sergent de section Hogue, dont le poste situé au rez-de-chaussée, sous le plancher du pilote, est de la taille d'une armoire. Il a devant lui une rangée de transmetteurs-récepteurs pour la communication. Durant le voyage, il seconde le navigateur et communique par TSF avec notre base.

L'ingénieur mécanicien, le sergent James, occupe une toute petite place derrière le pilote. Il surveille et interprète les données des nombreux cadrans des moteurs jumelés à ceux du pilote. Il gère aussi les 1 500 gallons de carburant que nous transportons dans nos réservoirs.

Le poste de navigateur du lieutenant d'aviation Demers est aussi situé au rez-de-chaussée. Il occupe la partie avant du fuselage et il est séparé de celui de l'opérateur radio par une cloison métallique. L'espace est restreint et les instruments de navigation par radar occupent beaucoup de place.

La lecture des cartes astrales, des cartes aériennes et la navigation par radar exigent de lui tellement d'attention qu'il s'isole derrière des rideaux. Sans hublot, il ne voit rien de ce qui se passe à l'extérieur.

Le viseur de lance-bombes, le sergent Lecouff, est l'homme à tout faire. Assis sur le siège du copilote, il aide aux manœuvres et donne au navigateur les données qu'il a prises avec le sextant. À l'approche de la cible, il se couche sur le grabat de bois à l'extrémité avant du fuselage.

À sa gauche se trouve une boîte d'interrupteurs qui sert à sélectionner les bombes à larguer. Devant lui se trouve une mire puissante pour bien viser la cible et dans sa main droite, une gâchette qui libère les bombes de leurs supports. C'est lui le patron lorsque nous arrivons au-dessus de la cible.

Le mitrailleur supérieur, le sergent Quarrie, accède facilement à sa tourelle. Ses mitrailleuses sont aussi des Browning pourvues d'un système permettant d'éviter que des balles de ses mitrailleuses endommagent les gouvernails lorsque ceux-ci sont dans sa mire. Le bombardier a été conçu pour transporter le plus grand nombre de bombes possible. Le confort de l'équipage est secondaire.

Depuis quelques heures, nous volons au-dessus du territoire ennemi, puis nous traversons la vallée de la Ruhr, nommée dérisoirement la vallée heureuse. Celle-ci s'étend de Hambourg à la frontière suisse. Elle est protégée par des centaines de faisceaux lumineux de grande intensité qui tentent de nous capturer et de nous livrer aux canons ennemis. Vu du sol, l'avion capturé par les projecteurs est comme un insecte piégé par la lumière. Nous mettons trois heures et demie pour atteindre Leipzig.

Selon les nouvelles méthodes adoptées par le Bomber Command, des appareils de reconnaissance Mosquitos ont allumé des fusées éclairantes munies de parachutes afin de diriger la meute vers la partie de la ville choisie par eux. Tournoyant au-dessus de la ville à 30 000 pieds, ces Mosquitos sont les maîtres de cérémonie qui nous indiquent l'endroit du largage. L'orchestre macabre des bombardiers est désormais sous la direction de ces maestros.

Plusieurs avions touchés par les tirs de la DCA prennent feu et explosent en plein vol. Sous ma tourelle, les incendies au sol couvrent une grande étendue et des nuages s'échappent de cet enfer. Je n'entends que le bruit des moteurs. J'ai froid mais je transpire. Médusé par le spectacle, j'ai l'impression d'être immobile et d'attendre mon tour d'être abattu. Aussitôt les bombes larguées, notre fusée éclairante quitte l'avion pour la photo-souvenir. Les portes des soutes sont refermées et la mission est accomplie.

Notre route de retour est tracée et nous suivons la volée. Dans leur tourelle, les mitrailleurs ont une vue sur les incendies qui s'éternisent. Les nuages sont teintés de rouge, de rose et d'orange. La DCA nous harcèle sans répit.

À mi-chemin, un moteur est touché par la DCA et cesse de fonctionner. L'hélice en mise en drapeau. Yvon tente de garder l'altitude de la vague de bombardiers, mais sans succès. Nous perdons quelques pieds à la minute et inexorablement, nous quittons la vague pour errer seuls. À 15 000 pieds, nous pénétrons la couche de nuages pour fuir le danger.

Dans les nuages, le pilote ne vole qu'aux instruments. Le mécanicien James ne peut rien faire pour le moteur. Des canalisations d'huile pour le refroidissement de ce dernier ont été endommagées. Le navigateur Demers nous trace un nouveau parcours pour rejoindre l'Angleterre le plus directement possible. Perçant les nuages, les rayons des radars allemands ont établi notre vitesse et notre altitude. Dès que nous les quitterons, les Junker 88, guidés par leurs opérateurs, nous attaqueront sûrement. Nous devons éviter le combat à tout prix. Les nuages sont un refuge temporaire. Sans bombes et avec moins de carburant, l'avion allégé garde sa vitesse de croisière.

Suis-je seul dans les nuages ? La tension est énorme. J'allume la petite ampoule au plafond de ma tourelle. Je n'y vois que les mitrailleuses. Les vitres courbées me renvoient une image grotesque de moi-même. Je n'ai aucune sensation de vitesse. Je ne vois même pas les grands gouvernails à gauche ou à droite. Je sens que je perds contact avec la réalité. Je brise le grand silence de mes écouteurs :

— *Skipper !* tu es là ?

— OK, Gilles.

Je suis surpris d'entendre sa voix.

— Yvon, j'ai la sensation d'être seul !

— Gilles, ta tourelle est toujours bien attachée à l'avion. Tiens le coup. *Crew, this is the Skipper!* Nous quittons les nuages.

Soudainement tout change. Dans un ciel étoilé, une fine lueur apparaît à l'horizon. L'ombre de la côte hollandaise passe sous ma tourelle. Puis nous sommes au-dessus de la mer du Nord. Pas un seul Junker en vue.

— *Crew, this is the Skipper. Keep alert.*

Je vois les ombres des grands gouvernails et je les salue comme des amis retrouvés. La tension diminue et je relaxe. Je suis si fatigué. Il y a plus de sept heures que je suis dans ma bulle. J'ai bien un thermos de café près de moi, mais je n'ose pas m'en servir. Je ne veux pas me faire prendre par l'ennemi un café à la main. Tout est calme dans l'avion. Les échanges entre le pilote et le navigateur brisent le silence.

Yvon annonce qu'il aperçoit les falaises blanches de Douvres. Il est 7 heures du matin, le 19 février, lorsque nous atteignons les côtes anglaises. Nous crions de joie notre retour à la vie.

L'atterrissage est sans histoire. Les mécanos nous accueillent et font l'inspection de l'avion. Ensuite vient la séance d'« interrogation », comme on dit, et le petit-déjeuner aux œufs et au bacon. Je me rends à la tour de contrôle pour voir Marie.

Elle me dit que les premiers rapports du quartier général indiquent que 79 bombardiers ne sont pas revenus et qu'il y a eu de nombreuses collisions.

— *Gill, waiting for you was terrible.* Bientôt je partirai de la base et nous 3serons séparés. Maman et Papa sont heureux que je sois enceinte et de savoir que nous allons nous marier.

— Marie, j'ai une permission et nous partirons ensemble pour Londres à la fin de ton service.

CHAPITRE 25

L'ALOUETTE SE MARIE

MARIE EST démobilisée et je l'accompagne à Londres chez ses parents. La vie de WAAF va lui manquer. M. et Mme Rees sont inquiets que leur fille épouse un étranger qu'ils connaissent à peine. Durant ma semaine de congé, je tente de les rassurer en parlant de ma famille, de Montmagny, du Canada.

M. Rees me dit que lui et sa femme ne veulent pas que je me sente obligé de marier leur fille parce qu'elle est enceinte. Je leur dis que nous avons un grand amour l'un pour l'autre et que nous désirons vraiment nous marier. La date du mariage est fixée pour le 6 mai, soit dans 73 jours. Je dois retourner à l'escadrille pour compléter mon tour d'opérations et cela les inquiète. Il me reste encore 10 missions avant que ce tour soit terminé.

Je me suis engagé volontairement dans cette guerre qui s'éternise. Les Russes et les Alliés font des gains sur tous les fronts mais l'Allemagne nazie n'est pas encore vaincue. Notre séparation est déchirante. Marie sait bien que mes chances de terminer mes missions diminuent. Je suis tourmenté par la pensée de ne plus la revoir. Je me fais brave auprès d'elle et je promets que je reviendrai.

Au début du mois de mars, je suis de retour à Tholthorpe. Dès le 6 mars, je retourne au combat avec le sergent Côté et son équipage à titre de mitrailleur arrière.

Le 6 mars, nous participons à des raids sur Trappes, puis le 7 sur Le Mans, en France. Est-ce le présage de l'ouverture tant attendue du deuxième front ? La traversée de la Manche pour la conquête de l'Europe est-elle pour bientôt ? Le 22 mars, encore avec le sergent Yvon Côté et son équipage, nous attaquons la ville de Francfort. La traversée de la vallée de la Ruhr est difficile. Nous larguons 15 ballots de bombes incendiaires sur Francfort. Plus de 45 bombardiers sont descendus lors de ce raid et 315 aviateurs y trouvent la mort ou sont faits prisonniers. Le 30 mars, avec l'équipage du lieutenant d'aviation Dupuis, je participe comme mitrailleur arrière à un raid sur Nuremberg, la ville mère des nazis. Est-ce la chance qui me sourit ? Après deux heures de vol, nous retournons à la base à cause d'une défaillance du système hydraulique. Nous devons nous délester de notre cargaison de bombes dans la Manche, car atterrir sur la piste avec une telle charge se solderait sûrement par la perte de l'avion et de son équipage. Nous l'avons alors peut-être échappé belle, car 14 bombardiers sont abattus et 98 aviateurs sont tués ou faits prisonniers durant ce raid.

Au téléphone, Marie me dit que les préparatifs pour le mariage vont bon train et que sa robe de mariée est achetée. Nous ne voulons plus être séparés l'un de l'autre. Elle va venir à Tholthorpe pour quelques semaines. Avant de partir la chercher, je réserve une chambre chez un couple dans le village de Tholthorpe.

Le 2 avril, Marie et moi revenons à Tholthorpe. Nous nous installons au village. Il n'y a pas de médecin et, si le besoin s'en faisait sentir, nous devrions alors nous rendre jusqu'à York.

Le 9 avril, avec le lieutenant d'aviation Kirk, nous attaquons la gare de Villeneuve-Saint-Georges près de Paris avec une pleine charge de bombes. Onze de nos bombardiers sont alors abattus. Puis le 10 avril, c'est au tour de Gand, en Belgique, de voir nos bombes déferler. Quarante-cinq bombardiers disparaissent lors de cette opération.

Mon salaire d'officier me permet de nombreuses sorties. Marie me fait découvrir les arts. Nous allons au théâtre à York. J'assiste à la représentation d'une pièce de Shakespeare. Je goûte de mieux en mieux la beauté de la langue anglaise. Comme je suis en permission pour deux semaines, nous retournons à Londres. Je me sens à l'aise avec la famille Rees. En compagnie de ma future belle-mère, nous visitons les musées et allons au cinéma. Deux ou trois fois par semaine, nous avons rendez-vous au pub local où se réunissent voisins et connaissances. Les raids de la Luftwaffe paraissent de moins en moins nombreux.

Grace, Marie et moi allons en excursion près de Colchester au bord de la Tamise où des amies de Grace sont en service. Elles font partie d'une escouade qui s'occupe des ballons captifs protégeant le port de Londres. Ces ballons sont retenus à la terre par des câbles d'acier. Les filles les hissent à plusieurs milliers de pieds d'altitude dans le but de créer des obstacles pour les chasseurs et les bombardiers allemands qui s'approchent du port. Il y en a des centaines en bordure de la Tamise. Durant le gonflement d'un ballon, je demande la permission de monter sur la toile pour une ascension de quelques pieds. Cette demande bizarre de la part d'un officier les surprend.

— Seulement à quelques pieds du sol, que je leur demande. Marie, viens avec moi.

— Gill, tu oublies que tu es un officier.

— C'est pourquoi je veux le faire. Les filles ne peuvent pas me refuser ça.

— Je n'irai pas. J'ai trop peur.

À ce moment, Grace intervient :

— Gill, tu ne peux pas y aller. Maman serait en furie si elle apprenait ça, car un officier de Sa Majesté ne fait pas ce genre de choses.

Je laisse tomber. Les Anglais sont très chatouilleux lorsqu'il s'agit du rang social. Un officier de la famille ne se conduit pas de cette façon. Dommage, car ce ballon captif aurait fait comme un oreiller géant se berçant au gré des vents. Avec Marie, c'eût été un douillet matelas pour une aventure amoureuse entre ciel et terre.

Nous retournons à Tholthorpe pour vivre ensemble chez les Barnett. Marie prend ses repas chez ce couple et je mange au mess des officiers. Lors de marches dans le village, mes compagnons n'hésitent pas à faire la cour à Marie et lui chantent *Marie, My heart is broken.* Ils me tiennent responsable de leur peine. Elle est si belle et si souriante. Il me plaît de les voir ainsi malades d'amour.

La chambre chez les Barnett est confortable. Une fillette de six ans est la compagne de Marie durant le jour. Le 27 avril, je retourne au combat avec l'équipage du lieutenant d'aviation Dupuis, pour un raid sur les cours de triage d'Aulnoye en France. Puis, le 30, c'est avec le commandant Leconte que je vole sur Somain en France. Marie retourne à Londres. Le jour de notre mariage approche.

Le 1er mai, je pars en mission avec le capitaine d'aviation Van Exan DFC[1] et son équipage dans le Halifax LW672. J'occupe pour la première fois le poste de mitrailleur supérieur lors d'un raid sur les cours de triage de Saint-Ghislain en France. Il est de plus en plus évident que l'invasion aura lieu bientôt, car les stratèges augmentent la fréquence des raids sur la France.

Je quitte Tholthorpe pour Londres. Mon mariage aura lieu dans cinq jours. Afin de ne pas gêner les préparatifs, je reste à l'hôtel Maple Leaf. Grace est en congé. Les jumelles sont tellement complices dans tout ce qu'elles font que j'ai l'impression que je vais marier les deux. Derniers essais de la robe, invitations, préparation de la nourriture, tout se fait dans le flegme le plus anglais. M. Rees voudrait bien sacrifier quelques poules pour le repas, mais il ne sait pas comment s'y prendre. Yvon Côté, qui a accepté d'être mon témoin, est à l'hôtel Maple Leaf avec moi.

— J'ai la solution, de dire Yvon. Henri, notre opérateur radio, est fils de fermier et il va régler le problème de ton beau-père.

Sitôt dit, sitôt fait. Dans la cour arrière du 13, Highbury New Park, Henri fait un vrai tour de magie. Il égorge les trois poules, les saigne, les ébouillante et les vide de leurs viscères. Presto, elles sont présentées à M. Rees, peaux blanches et nues. Ma belle-mère, Grace et Marie ne sont pas témoins du massacre.

Le mariage a lieu à 15 h 30 dans la chapelle catholique de St. Joan of Arc à Kelross Road, Highbury Barn, devant plus de 50 invités. M. Rees accompagne

1. Distinguished Flying Cross : décoration militaire.

sa fille et Yvon Côté, nouvellement officier, est mon témoin. À la sortie, les invités nous submergent de confettis. Le ciel est courroucé et fait des siennes. Quelques grains de grêle, de la pluie, des éclairs et des coups de tonnerre suivis finalement d'un arc-en-ciel marquent le début de notre union. Est-ce un présage de notre avenir à deux ?

La réception a lieu au 13, Highbury New Park et je fais la connaissance des parents et des amis de la famille Rees. Beaucoup de cousins sont en service militaire un peu partout dans l'Empire. Nous recevons des lettres et des télégrammes de félicitations dont un de Papa et de ma famille.

La réception est superbe. La salade au poulet est des plus réussies. Marie est resplendissante dans sa robe blanche. Elle est comblée d'attentions et de souhaits. Elle est fière de présenter son mari officier, et particulièrement heureuse de me faire rencontrer le jovial oncle Bill, frère de son père. Contrairement aux habitudes anglaises, je fais la bise aux femmes qui trouvent mon geste tout à fait *french* !

Mes compagnons de l'escadrille des Alouettes sont accueillis comme des vedettes. Plusieurs invités parlent français et sont heureux de converser avec les gars. Marie est. Plusieurs également ont perdu des frères, des amis, des fiancés et des maris depuis le début de la guerre.

Ce soir, nous partons en voyage de noces. Nous prenons le train pour la ville de Windsor, lieu de résidence du roi et de la reine.

CHAPITRE 26

L'ALOUETTE AU REPOS

SUR LEURS JUNKER 88, les Allemands ont fixé derrière le pilote des mitrailleuses pointées à la verticale. En vol, le chasseur allemand se glisse sournoisement sous le bombardier sans être détecté. Le haut commandement croit que c'est une des raisons des nombreuses pertes de nos avions. Le tir est si violent que les réservoirs d'essence prennent feu et le bombardier explose en quelques secondes. Le chasseur disparaît alors sans même avoir pu être détecté.

Faut-il penser à l'explosion fatale en plein vol au moment où l'on se trouve pour la première fois au calme avec sa jeune épouse ? Nous sommes en voyage de noces pour une semaine entière ! De la gare de Liverpool, le train nous conduit à Windsor en une heure. Notre hôtel est situé en face des remparts du château Windsor. La ville est charmante et paisible. Elle a été peu touchée par les raids de la Luftwaffe.

Une grande chambre, une grande salle de bain, et un balcon d'où l'on a une vue imprenable sur le château. Rien à voir avec le confort militaire auquel je me suis plus ou moins habitué, par la force des choses.

Marie et moi avons enfin du temps pour nous connaître. Son travail et la succession incessante de mes raids aériens nous ont laissé bien peu de temps jusqu'ici pour nous aimer.

Le mois de mai est si beau au Royaume-Uni. Les champs, les parcs et même les rues sont égayés de verdure et de fleurs. Je porte mes habits civils pour oublier quelque peu la guerre. Marie est ravissante dans son tailleur et ses robes fleuries. Nous parcourons la ville à pied, les parcs, les musées. Nous rions.

Nos nuits sont tendres et nos réveils le sont tout autant. Nous parlons de notre vie future au Canada. L'inconnu lui fait peur. Elle est morose à la pensée qu'elle devra se séparer de sa sœur jumelle. J'ai beau lui dire que Grace viendra nous rendre visite et qu'elle reviendra à Londres de temps à autre, rien n'y fait. « Mes quatre sœurs deviendront tes nouvelles amies », lui dis-je. Je sais que je prends mes désirs pour des réalités, mais je ne trouve pas d'autres façons de la consoler. « Et puis Marie, nous aurons notre enfant ! »

La naissance de notre enfant est prévue pour le mois d'octobre. Marie devra demeurer avec le bébé chez ses parents jusqu'à la fin de la guerre. Que nous réserve le destin ?

J'évite de parler de mon inévitable retour au combat. Je ne peux lui mentir pour amoindrir ses appréhensions, car elle sait les risques que je cours. Sera-t-elle veuve avec un bébé sur les bras ? Il y a quelques semaines à peine, c'est elle qui avisait par télétype le haut commandement des avions et des aviateurs qui n'étaient pas revenus à leur base... Elle connaît le malheur de près. Mes bonnes étoiles, les jumeaux Castor et Pollux du ciel de la Tunisie, veillent-elles encore sur moi ?

Marie ne veut pas rester à Londres pendant que je suis en service. Elle viendra avec moi à Tholthorpe et y restera jusqu'à mon dernier raid. De l'hôtel, nous téléphonons à Mme Barnett pour réserver la chambre. Le 12 mai, nous retournons à Londres chez ses parents. Le 20 mai, nous quittons Londres pour Tholthorpe.

Dès le 22, je pars en mission avec l'équipage de Kirk pour un raid sur les cours de triage et l'aérodrome du Mans, situés au sud de la ville. C'est un aérodrome qui sert à l'ennemi. Nous arrosons copieusement l'endroit de nos bombes. Soixante ans plus tard, le hasard fait découvrir certains engins qui n'ont pas explosé dans les environs.

Pour ce vol, j'occupe une nouvelle position, celle de *mid-under gunner* ou mitrailleur de tourelle ventrale. Une trappe au plancher me donne accès à ce poste situé sous le fuselage, dans une petite cellule attachée sous le bombardier. Assis sur un simple siège, mon parachute me sert de coussin. Je dois placer mes jambes autour d'un arc de cercle. Au centre de cette ouverture repose la mitrailleuse de calibre .50 fixée à un bras articulé. Je n'ai reçu qu'une seule heure d'entraînement au champ de tir avec cette arme. Mais c'est sur elle que je dois compter pour nous défendre.

Une fois l'avion en vol, mon copain mitrailleur ouvre la trappe et, avec son aide, je m'installe dans ce minuscule espace. Le bruit est intense. L'air froid envahit le fuselage. Une fois assis, je branche ma combinaison de vol sur le circuit électrique afin de me garder au chaud. Puis je mets en place les systèmes de communication et d'oxygène. La trappe se referme sur moi. Advienne que pourra désormais.

Dans cette position, je ne vois qu'au sol. Les mains sur les poignées de l'unique mitrailleuse, je scrute l'espace entre l'avion et le sol. Le bras articulé me permet de déplacer l'arme de gauche à droite et de haut en bas.

— *Skipper, under gunner, ready.*

— *Roger.* Gill, comment est-ce ?

— Il fait froid et le bruit est intense. J'ai la sensation d'être à l'extérieur de l'avion. *Roger and out.*

Je n'ai aucun horizon. Durant la traversée de la Manche, je fais un tir d'essai. Un boum boum répétitif ébranle ma cabine qui se remplit aussitôt de l'odeur âcre de la cordite.

Pendant cinq heures, je reste sous le bombardier et je surveille le vide dans l'espoir de ne pas voir de Junker. Lorsque le bombardier survole des lacs ou des rivières, j'entrevois les berges et des formes non identifiables. Mon regard doit rester fixé sur ce petit espace entre mes jambes où se trouvent le bras articulé et la mitrailleuse, car c'est à cet endroit qu'apparaîtra l'ennemi.

Le bruit, les courants d'air et le froid sont mes compagnons. J'arrive parfois à les oublier. Je n'ai plus la sensation d'être à bord d'un avion. Je me laisse emporter par le surréalisme de mon habitacle. Je dois faire des efforts pour ne pas halluciner.

Lorsque les bombardiers atteignent l'objectif, j'ai une superbe vue des bombes qui crèvent le sol et allument des feux. Ce répit ne dure que quelques minutes et de nouveau, je suis plongé dans un univers que les autres membres de l'équipage ne peuvent imaginer. Bien sûr, j'entends les voix des membres de l'équipe, leurs échanges, mais je ne les écoute pas. Il me semble que ces voix n'appartiennent pas à cet avion. J'ai envie de crier au secours.

— *Gill, this is the Skipper. Anything on sight ?*

— *No, Sir, just noise, cold wind, and boredom.*

Ces quelques mots me ramènent un moment à la réalité.

J'ai une hâte fébrile de sortir d'ici. Le pilote annonce que nous traversons la Manche et que nous serons à Tholthorpe dans une heure. Je résiste à la tentation d'abandonner mon poste. Au-dessus de l'aérodrome, mon copain ouvre la trappe et m'extirpe de mon trou.

Je n'ai pas conscience de l'arrivée. Je suis fourbu, exténué, vidé de toute sensation.

Édouard Jean s'est ajouté à l'escadrille avec son équipage. Nous ne nous sommes pas vus depuis notre séjour à Bournemouth. Il a fait plusieurs raids avec une autre escadrille. À la suite d'une indiscipline, il a évité de justesse la cour martiale grâce au lieutenant-colonel Leconte qui avait besoin d'équipages canadiens-français.

Avec Édouard, le 26 mai, je fais un vol d'essai d'une heure au-dessus de la campagne du Yorkshire. C'est la première fois que nous sommes ensemble à bord d'un avion. J'occupe le siège du copilote et en vol, Édouard me cède les commandes. Au retour, je lui présente ma femme, Marie. Il ignorait que j'étais marié.

Le lendemain, l'adjudant Saint-Amour m'annonce que je suis de l'équipage du lieutenant-colonel Leconte, commandant de l'escadrille des Alouettes, comme mitrailleur de tourelle ventrale pour un raid sur Bourg-Léopold en Belgique. Un honneur, quoi ! Suivent un raid sur Au Fèvre le 31 mai et un autre le 2 juin sur Neufchâtel.

Lorsque je quitte Marie pour les missions, notre dernière étreinte est toujours déchirante. Je ne lui parle pas des raids et de mes peurs.

Le temps de l'invasion est proche.

L'alouette est soucieuse.

CHAPITRE 27

L'ALOUETTE ET LA NORMANDIE
6 JUIN 1944

Le briefing a lieu à 17 heures. Le commandant Leconte me désigne comme mitrailleur sous le fuselage. Ce sera mon troisième voyage avec lui. Une autre aventure dans la nacelle sous l'avion ne me plaît pas du tout. Son équipage est complet, mais étant donné que son Halifax LW620 T possède une nacelle sous le fuselage pour la mitrailleuse .50, il doit y avoir un aviateur de plus pour combler le poste. Il est impensable que je refuse la demande du commandant.

Plusieurs policiers de la RAF gardent les entrées de la salle de briefing. Contrairement aux habitudes, rien n'indique sur la carte quelle sera notre cible. L'atmosphère est chargée de mystères et les rumeurs vont bon train. Est-ce Berlin, Stuttgart, Le Havre ? Tous ces noms chuchotés font monter la tension.

Un calme inusité règne dans la salle.

— *Gentlemen.* Attention, le commandant.

— *At ease, gentlemen,* de dire le commandant Leconte.

— Messieurs, cette nuit, nous attaquons la Forteresse Europe. C'est le jour de la plus grande invasion de tous les temps. Le débarquement aura lieu sur les plages de Normandie.

Aucun applaudissement n'accueille la nouvelle, aucun cri de joie. Il n'y a que le silence.

Une nouvelle carte de l'Europe est déroulée indiquant notre cible, Houlgate en Normandie. Les météorologues, les armuriers, le chef de la navigation, les officiers de l'intelligence et les autres experts livrent toutes les informations nécessaires. La liste des membres de notre équipage se lit comme suit :

Lieutenant-colonel L. Leconte, pilote
F/O Boyd, navigateur
F/O Hamilton, viseur de lance-bombes
F/O Hamilton, viseur de lance-bombes
F/O West, opérateur radio
F/O Railston, ingénieur mécanicien
F/O McLunne, mitrailleur supérieur arrière
W/O Pagé, mitrailleur arrière
P/O Boulanger, mitrailleur de tourelle ventrale

— Messieurs, notre départ est fixé pour 1 h 30 le 6 juin. Réglez vos montres maintenant. Après le briefing, vous serez escortés au mess pour le repas. Il est interdit de quitter la base, de téléphoner ou de révéler notre cible à qui que ce soit.

La consigne est formelle, Marie le sait. Le briefing terminé, nous devons autant que possible nous isoler de ceux qui ne participeront pas au raid.

À 23 heures, les camions nous transportent à nos bombardiers respectifs qui sont déjà alignés sur les pistes d'accès. Celui du lieutenant-colonel Leconte, commandant de l'escadrille 425 des Alouettes, est le premier.

L'inspection de notre équipement est maintenant une routine. Les parachutes, la veste de sauvetage May

West, la vérification extérieure de ma mitrailleuse, tout est fait selon la procédure établie.

À 0 h 30, le commandant arrive en automobile, conduit par son chauffeur. Il nous serre la main et nous demande de gagner nos postes. En peu de temps, les quatre moteurs se mettent en marche.

Il est interdit d'occuper la cellule sous le fuselage durant les décollages et les atterrissages. Notre avion est le premier à prendre place sur la piste pour le départ. Il est 1 h 30. Les gaz poussés à fond, les quatre moteurs rugissent, et en 20 secondes, nous quittons le sol dans la nuit.

À 3 000 pieds d'altitude, le *flight officer* McLunne ouvre la trappe d'accès et m'aide à intégrer mon poste. À trois pieds de mon dos se trouve la soute aux bombes. Notre cible est la ville d'Houlgate au bord de la mer en Normandie, une petite ville où les Allemands ont installé des batteries de canons antiaériens.

En cas d'évacuation d'urgence, j'ai peu de chances d'arriver à sortir de ma cellule et à sauter en parachute, à moins d'un miracle. Si le feu prend, tout va sauter. À l'instant même où nous traversons la Manche (English Channel pour les Anglais), je détecte sous ma mitrailleuse des avions dont les ailes sont peintes de larges bandes blanches. Au briefing, l'officier des services spéciaux nous avait révélé que des centaines d'avions tirant des planeurs voleraient à 3 000 pieds au-dessous de nous. Je vois des Halifax, des Wellington et des DC-3 tirant des planeurs tout aussi gros qu'eux-mêmes. Puis notre cap change et nous laissons cette étrange vague d'avions et de planeurs. Ces derniers feront dans peu de temps des atterrissages en catastrophe en France. Je n'envie pas le sort de ces soldats et de ces pilotes d'un jour, accrochés à leurs planeurs. Ma cellule sous le fuselage me semble moins dangereuse.

— *Crew, this is the Skipper.* Nous approchons de la cible.

Au large, les navires de guerre alliés tirent des salves d'artillerie sur les côtes de la Normandie. Il y en a tellement qu'il me semble les entendre. Éclairé par leurs feux, je vois une mer couverte de bateaux qui se dirigent vers les plages. Des centaines de fusées éclairantes multicolores attachées à des parachutes dérivent au-dessus de la mer et transforment la nuit en jour.

L'invasion de la Forteresse Europe m'offre un spectacle d'une puissance effarante. Des milliers de soldats, de marins et d'aviateurs sont lancés sur les plages de Normandie pour libérer la France, la Belgique, la Hollande, le Danemark et la Norvège du joug nazi. Il nous faut gagner ce conflit, libérer l'Europe et mettre fin à la guerre pour retourner enfin dans nos foyers. Seulement quelques vols encore, je l'espère, et j'aurai terminé mon tour d'opérations. Mais la guerre ne sera pas terminée demain. L'issue de la guerre repose pour beaucoup sur les efforts des fantassins.

— *Crew, this is the Skipper. We are lining up for bombing.*

Les soutes s'ouvrent et le bruit de l'air sous le fuselage change. La routine du largage est suivie à la lettre. Je vois nos bombes culbuter les unes après les autres dans une course meurtrière vers la cible. Les portes se referment. La fusée éclairante attachée à son parachute s'allume et la photo prise, nous changeons de cap pour le retour à notre aérodrome. Le jour se lève. Après cinq heures d'un vol sans histoire, nous rentrons à la base.

Il est 8 heures. Le camion me laisse à la barrière du jardin fleuri des Barnett où Marie m'accueille. Je la serre dans mes bras. En sanglots, je lui dis :

— Marie, l'invasion a débuté cette nuit.

CHAPITRE 28

L'ALOUETTE ET COUTANCES

Les médias publient les premières photos du débarquement. Les premiers rapports officiels se font prudents. Plusieurs milliers de soldats américains, anglais et canadiens sont sur les plages et quelques unités sont entrées dans les terres.

Afin de ne pas inquiéter Marie, je ne lui ai pas dit que je repars pour un autre raid cette nuit. En effet, à 21 h 30, j'embarque avec l'équipage du lieutenant-colonel Leconte. Pour réussir, l'invasion exige un effort maximum de toutes les forces militaires. C'est mon deuxième raid en 24 heures. La cible : un pont de la ville de Coutances sur la côte ouest de la Normandie.

Après quelques heures de sommeil et de tendres moments, main dans la main, nous nous promenons dans le village. La journée est magnifique et la végétation a repris ses droits. La verdure et les fleurs ont changé le visage de ce coin de pays si triste en hiver.

Combien de temps encore vais-je vivre ces extrêmes ? Il y a quelques heures, je me trouvais en pleine guerre et en ce moment, Marie et moi marchons dans ce village serein et coquet alors que meurent par milliers des soldats, des marins et des aviateurs. Suis-je avec Alice au Pays des merveilles ?

— Marie, à 21 heures, je retourne au combat.

— Gill, tu viens tout juste d'arriver. C'est ton deuxième raid en moins de 24 heures.

Comment puis-je lui dire que j'ai dépassé de trois raids le nombre magique de 30 expéditions, ce qui signifie en principe la fin d'un tour d'opérations ? Comment puis-je lui dire que j'ai accepté volontairement de continuer parce qu'il manque de mitrailleurs pour occuper les cellules sous le fuselage ? Comment puis-je lui dire que je hais la position de mitrailleur de tourelle ventrale et lui avouer ma peur ? Pourra-t-elle comprendre que je suis toujours un volontaire et que j'irai au bout de mon engagement ? On demande à tous un effort maximum pour réussir l'invasion du continent. Je ne peux trahir mes compagnons. J'essaie de calmer son chagrin et je répète que bientôt, tout sera fini.

— Ces raids sont faciles et comportent peu de dangers, Marie.

— Je ne te crois pas. Tu oublies que j'occupais une position stratégique aux communications. C'est moi qui envoyais par télétype la liste des aviateurs et des avions qui ne revenaient pas.

Au retour de notre promenade, nous nous couchons. Elle pleure. Je ne peux pas la consoler.

— Gill, qu'est-ce que je fais dans ce village si laid perdu dans les landes du Yorkshire ? Je vis une peur terrible. D'une heure à l'autre, tu pourrais être sur une de ces listes que je dressais autrefois. Si au moins j'étais à Londres, je ne saurais rien de tout ça.

— Marie, bientôt tout sera fini.

Je la caresse, elle pleure, nous nous enlaçons et je me laisse aller au sommeil.

À 20 heures, après une dernière étreinte, je la quitte pour me rendre au bombardier. La séparation est silencieuse. Nos regards se croisent. Je vois sa peine et j'espère qu'elle ne voit pas ma peur.

Notre bombardier est immobile sur la piste d'accès. Des fermiers et des fermières, la fourche à la main, ramassent près de la piste la récolte de foin. Dans deux heures, je vais quitter le Pays des merveilles d'Alice à bord du monstre et retourner à la réalité de la guerre.

La machine infernale de 35 tonnes dévore les 5 000 pieds de macadam en quelques secondes et s'envole dans le demi-jour vers sa mission de guerre. Elle est chargée de ses sept membres d'équipage et surtout de quatre tonnes de bombes à haute détonation, des engins de mort qui explosent au-dessus du sol.

Avec l'aide du mitrailleur Pagé, je prends place dans ma cellule sous le bombardier. Le tracé de la mission nous amène au-dessus de la ville de Bournemouth et poursuivant cap sud, nous traversons la Manche. De mon poste, je vois que la mer est couverte de toutes sortes de navires voguant vers la côte française. Je relaxe un peu, car je ne crois pas que la Luftwaffe sera dans ces parages. Nous approchons du port de Cherbourg qui est défendu avec acharnement par les troupes allemandes. Nous descendons à une altitude de 5 000 pieds afin de bombarder les ponts.

Ces attaques d'objectifs précis sont rarement réussies. Les bombardiers lourds larguent d'habitude leurs bombes à plus de 20 000 pieds d'altitude. Une attaque tactique comme celle-ci ne fait pas partie de nos missions habituelles. Tout doit être fait pour réussir Overlord, le nom de code donné à l'invasion.

Les canons antiaériens sont à ma gauche, sur l'île de Jersey occupée par l'armée allemande. Nous restons près de la côte française tout en perdant de l'altitude. Je ne vois aucun des 20 bombardiers qui nous accompagnent. La côte de Normandie est visible. La population doit vivre une terreur pour nous inconnue. Au-dessus de la côte, les nuages sont nombreux, ce qui pourrait rendre difficile l'identification de la cible.

— *Skipper,* change le cap pour 100°, cible dans cinq minutes, de dire Régimbald.

À une vitesse de 275 milles à l'heure, nous volons à 5 000 pieds d'altitude dans une zone parsemée de nuages. Nous écoutons avec attention les échanges entre le pilote et le viseur de lance-bombes. Le moment est stressant, tragique. C'est le moment où l'adrénaline se précipite dans nos veines. Trente-cinq fois, j'ai attendu ces mots qui nous assurent que nous avons accompli notre devoir. Ces mots, *bombs gone*, qui nous disent : « Sauvez-vous maintenant. »

La route du retour est tracée de manière à nous ramener en Angleterre en minimisant les risques. Elle me donne le loisir de songer à cette fin de combat. Je suis moins stimulé par le sentiment d'invincibilité que chaque raid me procure. Ma vie n'est plus la même. Mon amour pour Marie m'éveille à d'autres défis. Je vacille.

Dois-je aviser mon adjudant que je ne veux plus voler ? J'en ai pourtant le droit.

Nous sommes heureux de nous retrouver sains et saufs, jusqu'au moment où je lui dis que de nouveau, je serai au combat demain le 7 juin avec le capitaine d'aviation Dupuis, comme mitrailleur sous le fuselage.

— Marie, je ne peux pas refuser, je me dois d'aller jusqu'au bout. J'ai le rang d'officier et il est de mon devoir d'obéir. J'ai le droit de refuser, il n'y aurait rien de déshonorant à le faire, mais je ne le ferai pas. Je suis un volontaire.

Elle reste silencieuse. Elle sait bien que le peuple anglais tout entier est à bout de souffle et que la nation fait des efforts ultimes pour remporter la victoire.

— La victoire sera à nous bientôt, Marie. Ton frère Arthur reviendra du Moyen-Orient, ta mère cessera son travail de guerre, Grace reviendra à la maison et nous serons parents au mois d'octobre. Nous aurons gagné notre bonheur.

Une nuit paisible d'amour nous réunit. Est-ce la dernière ? Mes jumeaux mythiques Castor et Pollux veillent-ils toujours sur moi ?

Le raid sur Achères est sans histoire, si ce n'est que le mauvais temps nous a suivis du départ au retour. Les turbulences causées par les cumulus ont ébranlé le bombardier tout au long des cinq heures de vol.

Au retour, Marie et moi passons la journée entière à York. Moment de détente qui nous fait oublier quelque peu la guerre. Marie est une fille de la ville et Londres lui manque terriblement. Être enterrée dans ce village sans âme est pour elle une vraie punition. Avant de retourner à Tholthorpe, nous assistons à une comédie musicale de Gilbert et Sullivan, *The Pirates of Penzan*.

Le 9 juin, je retourne au combat avec l'équipage de Léopold Brochu, le seul équipage entièrement canadien-français de l'escadrille, composé comme suit :

P/O Brochu, pilote
P/O Camiré, navigateur
W/O Labrecque, viseur de lance-bombes
F/O Audet, opérateur radio
F/S Daoust, ingénieur mécanicien
F/S Sévigny, mitrailleur arrière
W/O Racicot, mitrailleur du dessus du fuselage
P/O Boulanger, mitrailleur de tourelle ventrale

L'objectif est l'aéroport du Mans. Le vol dure en tout 5 h 35 min., lors duquel nous larguons quatre tonnes de bombes d'une altitude de 15 000 pieds. La France entière est couverte de nuages. C'est avec difficulté que nous localisons notre cible. Au retour, nous traversons à haute altitude les zones de guerre. À 6 heures le matin du 10 juin, sains et saufs, nous sommes de retour à la base.

Après le débriefing, l'adjudant Réal Saint-Amour me prend à l'écart et me dit :

— Gilles, c'est ton dernier raid. Tu en as accompli 37 et ce sont maintenant les vacances pour toi. Marie sera bien heureuse de cette nouvelle.

En toute hâte, je me rends au village chez les Barnett. Marie est à la barrière.

Je la prends dans mes bras et lui dis :

— *Marie, it is over.* J'ai terminé mon tour d'opérations.

Et l'alouette sans retenue éclate en sanglots.

CHAPITRE 29

PARIS LIBÉRÉ

L'ADJUDANT SAINT-AMOUR me remet les documents qui me séparent de l'escadrille ainsi qu'une permission de 15 jours. Je pars pour Londres avec Marie en emportant mes effets personnels qui se résument en un *kit-bag* de vêtements. À bord du train qui nous emmène à Londres, je consulte les papiers qu'il m'a remis et trouve un ordre de transfert dans un camp de repos en Écosse.

Je suis déconcerté. Jamais l'on ne m'a demandé si j'en avais besoin. Et je suis en furie. Je ne peux expliquer à Marie ce transfert au camp Brackla, près de Nairn, tout au nord de l'Écosse. J'ai besoin d'être avec elle et non pas enfermé dans une colonie de vacances pour les fous.

Dès mon arrivée à Londres, je téléphone au lieutenant Saint-Amour et celui-ci me dit qu'il n'y peut rien. Je dois me rendre à ce camp tel qu'ordonné. Le 1er août, je prends le train pour Nairn et voyage pendant 24 heures, avec changement de train à Édimbourg.

Nairn est une ville portuaire avec des rades pour sous-marins. Une voiture de l'armée m'amène au camp Brackla et dès mon arrivée, je sais que je n'y resterai pas. La réception est plutôt froide. On me conduit à ma chambre dans une baraque au beau milieu des champs. C'est le temps des récoltes et les fermiers besognent à engranger. Le paysage est magnifique et d'une tranquillité bucolique. Il y a très peu de « patients » et je ne vois aucun officier ou soldat en patrouille près des baraques.

Dès le lendemain matin, je me rends à l'administration et insiste pour voir le commandant, un officier de l'armée. Mon rang d'officier et ma DFC bien en vue donnent des résultats. Il m'explique que je dois rester au camp pendant un mois et que je peux participer aux loisirs proposés.

Pour moi, il n'en est absolument pas question et je le lui fais savoir : « Que vous me donniez ou m'obteniez ou non la permission de quitter ce camp dans une semaine, je partirai de mon propre chef et retournerai à Londres auprès de mon épouse qui attend un enfant. »

Quand les choses ne vont pas selon leurs désirs, les officiers des forces britanniques, depuis longtemps sous l'uniforme, ont tendance à nous rabaisser en nous traitant de « coloniaux ». Il y a longtemps que nous acceptons cela comme une marque indéniable de reconnaissance et de respect.

Au sixième jour, je me présente au bureau de l'officier et l'avise que je quitte le camp pour Londres. Je lui laisse l'adresse de M. Rees, soit le 13, Highbury New Park, Londres, ainsi que le numéro de téléphone.

Il aurait pu me retenir. Il ne le fit pas. Tout au long de mon voyage vers Londres, je regarde tout autour de moi pour voir si la police militaire ne me guette pas. Le commandant a dû se dire qu'un « colonial » de moins était une bonne chose pour sa santé mentale. À Édimbourg, je téléphone à Marie pour lui annoncer mon retour.

Quelques jours après mon arrivée, je reçois une convocation d'un M. Burton de l'« Air Ministry ». Mes beaux-parents sont terrifiés depuis que je leur ai annoncé que j'ai quitté le camp de Brackla sans y être autorisé. « *This is so un-British.* »

Ma rencontre avec M. Burton est d'une civilité très « *british* ». La secrétaire m'apporte une tasse de thé, il s'informe de ma famille et de mon séjour à Londres, de Marie et de mes beaux-parents. Puis il me dit que je suis envoyé en poste à Bournemouth comme officier de liaison des Canadiens français en Angleterre. Je dois réunir les éléments français afin de former des équipages pour l'escadrille 425, les Alouettes.

Il sait que je viens d'y terminer mon tour d'opérations. Je dois me rendre à Bournemouth et y remplacer un officier à qui on a confié d'autres tâches. Documents de voyage en main je retourne au 13, Highbury New Park pour annoncer la bonne nouvelle à Marie et à ma belle-famille. M. Rees est étonné, mais heureux. (Ah ! ces coloniaux.)

Pendant des semaines, je fais des allers-retours de Bournemouth à Londres et je visite des écoles d'aviation ailleurs en Angleterre afin de recruter des candidats pour l'escadrille des Alouettes, tâche qui n'est pas facile car plusieurs aviateurs ne veulent pas s'y joindre. Ils envisagent leur avenir d'une autre façon. Les aviateurs canadiens représentent 25 % de la RAF. Les choix possibles sont nombreux et tous mes candidats sont bilingues. L'attrait des pilotes pour les avions de chasse, tels les Hurricane, les Spitfire, les Typhoon, et celui des navigateurs pour les Flying Boats Sunderland, les Mosquitos et autres est évident. Il n'en tient qu'à leur habileté.

Un jour, lors d'une tournée de recrutement, je me rends à South Cerney, près de Londres. Étant autorisé à demander un passage sur des avions d'entraînement pour me rendre d'une école à l'autre, je m'adresse en anglais à un pilote pour me faire transporter à Boscombe Down, une école pour pilotes. Celui-ci se nomme Charles Laberge et il est originaire de Montmagny. Jusqu'à ce moment, chacun ignorait l'existence de l'autre.

Ma vie à Bournemouth est ennuyeuse et je n'attends que le moment de retourner à Londres pour voir Marie. Au début du mois d'août, lors d'un retour dans la capitale, je rencontre à bord du train un jeune officier de la marine américaine, capitaine sur une barge de débarquement. Il m'invite à une traversée de la Manche à destination du Havre, en France. Sans cesse, les navires déversent dans ce port du matériel de guerre pour les armées alliées.

J'accepte l'invitation et dès la semaine suivante, je me présente à la rade de Southampton. En un rien de temps, un sergent de la marine américaine me conduit au navire et je monte à bord. Le capitaine a mon âge et il est natif du Rhodes Island. Je note que des marins noirs besognent dans les cuisines.

Durant la nuit, nous quittons Southampton et le lendemain vers midi, le capitaine lance la barge à toute vitesse sur la rive ensablée du Havre. Cette ville portuaire a été dévastée par les bombardiers anglais et américains durant l'invasion exécutée il y a quelques semaines.

À mon étonnement, des dizaines d'enclos entourés de fils barbelés couvrent les plages. Dans ces enclos, des milliers de prisonniers allemands attendent d'être envoyés en Angleterre, au Canada et aux États-Unis, où ils seront emprisonnés dans des camps. Ces prisonniers sont sous la garde de la milice américaine qui se sent le devoir de les humilier. Ces Allemands ne sont-ils pas la race supérieure comme Hitler l'a clamé ?

Je demande à l'officier qui m'accompagne si je peux pénétrer dans un de ces enclos. Sitôt demandé, sitôt accordé. Mon uniforme bleu de l'aviation canadienne et le « Canada » brodé sur les manches de mon uniforme attirent l'attention. L'un des prisonniers s'approche de moi et demande en anglais à l'officier américain s'il peut me parler.

Si, lors de mon entrée dans l'enclos, je me sens orgueilleux et vainqueur, cette sensation se dissipe dès que je regarde ce soldat, aussi jeune que moi, inquiet, au regard perdu. Il claque des talons tout en me saluant.

Il veut échanger une médaille contre des cigarettes. Je lui donne mes cigarettes mais ne peux me résigner à prendre sa médaille. Accompagné de l'officier américain, je fais le tour de l'enclos. Une tente en particulier attire mon regard.

Des mosaïques ornées d'inscriptions religieuses et faites de pierres et de briques fracassées, venant des ruines du Havre, encerclent la tente. Les « Paix sur terre » et les croix décorent ces chefs-d'œuvre. Le prisonnier allemand me présente l'aumônier, un jésuite parlant français.

Pendant plusieurs minutes, je réponds aux questions des Allemands. Il y a un malaise quand je leur dis que je suis membre d'une escadrille de bombardement. Ils doivent être très inquiets pour leurs familles qui vivent sous nos bombes.

Je quitte l'enclos. Pendant que je déambule à travers ces enceintes, je pense à mon ami Raymond Barry, qui est prisonnier quelque part en Allemagne depuis le 26 mars.

Dans une ruelle du Havre, je trouve un barbier. Il fait commerce dans une pièce sans porte avec les fenêtres brisées. Mon entrée étonne le propriétaire et les clients, et l'étonnement croît quand je m'adresse en français au maître du salon. L'accueil est chaleureux car l'armée canadienne est reconnue pour ses succès lors de l'invasion.

De retour sur la berge, je vois que la barge de débarquement se prépare à retourner à Southampton, emportant quelque 200 prisonniers dans la grande soute qui avait transporté chars d'assaut et camions lors de notre traversée.

Lorsqu'on arrive au port de Southampton, avant que je quitte la barge, le jeune capitaine me remet quatre gallons de confitures de fruits et un veston de la marine. Je garderai le coupe-vent et je remettrai les confitures à ma belle-mère qui n'a rien vu de si beau et de si bon depuis belle lurette.

Le 15 août 1944, 400 000 hommes, sous le commandement du général américain Patch et du général français de Lattre de Tassigny, partent de bases situées en Corse, à Naples et en Tunisie pour envahir le sud de la France. Sur tous les fronts, les armées allemandes reculent vers leurs frontières. Le 25 août, Paris est libéré et la ville de Bruxelles l'est à son tour le 8 septembre.

Ce même jour, Londres et Anvers sont attaquées par les V2. Cette nouvelle arme allemande est quasi invisible. Elle peut voyager de jour comme de nuit sans être vue. Sa vitesse est de 3 000 milles à l'heure. Ces fusées sont propulsées dans l'espace à partir de bases secrètes en Allemagne et retombent sur Londres. Marie et moi sommes témoins de ces bombes qui explosent soudainement dans les quartiers. Il n'y a aucune façon d'alerter les citoyens.

Pour leur part, les fusées V1 sont maîtrisées, car les rampes de lancement ont été saisies par les armées alliées. Il n'y a pas de panique à Londres, mais les gens sont inquiets.

Je suis à Londres tous les week-ends. Malgré la menace des fusées V2, nous allons quand même au théâtre et au cinéma. Le National Health Service a réservé une place pour Marie dans une clinique d'accouchement à Reading, dans la banlieue de Londres.

Le 19 septembre, je suis convoqué au quartier général du groupe n° 6 à Allerton Park. Comme j'ai déjà ma promotion de lieutenant d'aviation, je pense alors qu'on veut me confier une autre tâche. On me conduit dans le bureau du commodore McEwen. Son aide de camp, d'une voix ferme, dit :

— *Gentleman, attention.*

Le commodore arrive et l'adjudant commande un :

— *At ease, Gentleman.*

Son aide de camp lit le document qu'il tient dans ses mains :

> *Officer Boulanger, it is most gratifying to me to learn that His Majesty the King has been pleased to confer upon you the Distinguished Flying Cross. I wish to convey to you my heartfelt congratulations. Your fine record, displaying as it does, gallant service and devotion to duty, is worthy of the highest praise. My best wishes for your continued work.*
>
> *Signed Air Vice Commodore, C.M. McEwen, M.C. DFC & Bar.*

Je m'avance vers le commodore. Il se rappelle notre première rencontre. Puis il me dit que plus tard, il y aura une cérémonie au palais de Buckingham pendant laquelle je rencontrerai le roi.

Je quitte Allerton Park et retourne à Londres. J'ai beau chercher ce que j'ai fait de si extraordinaire pour mériter une telle décoration, je ne trouve pas. J'étais volontaire et je devais accomplir mon devoir et honorer ma parole. Je ne peux contenir ma joie en pensant au plaisir que cette décoration fera à mon père. Il sera fier de son fils.

Devant la famille Rees, je lis le document officiel de ma décoration. Marie est heureuse comme tout. Ses parents sont ébahis. Marie s'empresse de téléphoner à sa jumelle.

Le temps passe sans événement majeur. Les troupes alliées gagnent de plus en plus de terrain. Le 10 octobre, avec ma belle-mère, j'accompagne Marie à la clinique d'accouchement à Reading. C'est un endroit sombre et de triste allure. Elle pleure et je ne peux pas la consoler. Je n'ai même pas le droit de me rendre à sa chambre. Je suis inquiet.

Nous retournons à Londres. Je ne vais à Bournemouth que quelques jours par semaine. Je vais visiter Marie à Reading le vendredi d'après. Il n'y a aucun endroit où l'on peut être seuls. Plus elle me parle de la clinique, plus j'ai peur. Il n'y a que de jeunes médecins en service à cette clinique du National Health. Il n'y a aucune séance préparatoire à l'accouchement. Les parents ne peuvent pas être présents.

Chaque fois que je la quitte, je suis inquiet comme je ne l'ai jamais été lors de raids ou de bombardements sous le feu des Allemands. Je pressens un danger inconnu.

Le 20 octobre, j'arrive en catastrophe à Reading. Marie doit accoucher sous peu. La patronne de la clinique m'interdit la visite. Je passe la nuit dans la salle d'attente. Vers 8 heures du matin, on me fait venir à la salle d'accouchement. Marie est endormie. Le bébé est né. C'est un garçon. Dans la pouponnière, un jeune médecin me montre mon fils, un nourrisson à la tête blonde. Il me fait signe de le suivre.

— *Your son is born with spina-bifida.*

Je ne comprends pas et je lui demande de m'expliquer. Sur une carte, il m'indique que deux des disques de la colonne vertébrale ne se sont pas soudés. Le terme médical pour cette malformation est le spina-bifida. Avant que je ne le lui demande il me dit :

— *The infant will die within a few days.*

À son réveil, je trouve Marie faible. Je ne sais pas comment lui dire ce qui se passe. Elle demande à voir l'enfant. Je lui dis que c'est un garçon.

— *I will call him Michael Pierre,* me dit-elle.

— *Marie, I have seen the doctor and he told me that Michael was born with a malformation called spina-bifida. He will die within a few days.*

— *It was so hard to give him birth. I was in labor for ten hours. Please I want to see him.*

Ils amènent le bébé dans un berceau. Nous ne pouvons pas le soulever. Elle le garde près d'elle quelques minutes. L'infirmière le ramène à la pouponnière. Deux jours plus tard, Michael meurt.

Une semaine après la mort de notre enfant, Marie revient à Londres chez sa mère. Elle souffre de grandes douleurs au dos. Le médecin de sa mère lui annonce que deux de ses vertèbres ont été déplacées par le difficile accouchement.

CHAPITRE 30

L'ALOUETTE DE RETOUR AU CANADA

PARFOIS QUELQUES V1 atteignent encore Londres, mais les fusées V2 sont plus fréquentes. Remplacer les vitres brisées par les explosions fait partie des défis quotidiens des Londoniens. Il n'est pas facile de trouver du verre. C'est une question de chance.

Après des mois de recherche, M. Rees trouve de la vitre pour les fenêtres de la salle de bain. Je suis tout en haut de l'échelle, installé pour poser les derniers clous à la fenêtre, quand une fusée V2 explose à moins d'un mille de la maison. Je sursaute et donne un coup de marteau dans la vitre qui se fracasse en mille morceaux. C'est la première fois que la maison de mon beau-père est victime d'un bombardement.

Je quitte Bournemouth tous les jeudis pour Londres, où je reste jusqu'au dimanche. Les armées alliées avancent vers les frontières allemandes. Dans le Pacifique, les Américains cumulent les victoires contre l'Empire japonais. Je passe Noël et Nouvel An avec la famille Rees. Grace se libère pendant quelques jours de son travail de technicienne en photographie pour la RAF. Cela fait la joie de Marie. Le grand frère Arthur écrit de la forteresse d'Aden au Moyen-Orient une longue lettre de souhaits pour les Fêtes. Pour ma part, je reçois un tas de lettres et de photos de mes sœurs et de mon père. Ils sont bien peinés de la mort de notre fils Michael. J'avais fait parvenir des photos de notre mariage à la famille, et mes sœurs Margot, Madelon, Monique et Suzanne ont bien hâte de rencontrer Marie. Elles s'entendent avec Papa pour dire que ma femme est bien belle.

Durant le mois de janvier, les armées américaines, anglaises et russes libèrent de nombreux camps de concentration allemands. Elles y trouvent des milliers de loques humaines dans un état de désespoir indescriptible. Au cinéma, avant la présentation des films, on passe des reportages sur de grands événements mondiaux. Ce sont les Pathé News. On y montre des images de ces camps. Les Anglais présents ne peuvent pas croire ce qu'ils y voient. Des centaines de personnes incrédules quittent alors les salles de cinéma.

Pour ma part, je ne sens aucune rage monter en moi à la vue de ces atrocités. J'ai peur de ne pas pouvoir accepter cette vérité.

Les jeunes prisonniers allemands que j'ai rencontrés au Havre savaient-ils ce qui se passait dans leur pays ? Je me reproche d'avoir eu de la compassion pour eux. Si j'ai douté un seul instant de la nécessité de la guerre, ce doute s'est dissipé aux premières images de ces atrocités commises contre l'humanité par une nation chrétienne comme l'Allemagne. Je suis incapable d'absorber ce que je vois et entends. Je me sens en danger.

Après quelques revers, nos armées avancent sur Berlin. Le RAF Bomber Command et l'aviation américaine continuent de déverser des tonnes de bombes sur des cibles en Allemagne et dans l'Europe occupée. Au début d'avril, M. Barton, du ministère de l'Air, m'avise de la fermeture du bureau de liaison. Accompagné de Marie, je dois me rapporter aux autorités de l'aviation canadienne au Holborn Square à Londres. Le square est ce jour-là une halte de paix qu'embaument les fleurs printanières. L'air d'une chanson d'amour venant d'un orgue de Barbarie se fait entendre. Je m'approche de l'étrange boîte à musique qui souffle les populaires chants d'amour et d'espoir. Je demande à son opérateur si, dans le répertoire, il y a la chanson *Wish Me Luck As You Wave Me Goodbye.*

— *Yes Sir,* me dit-il. *Why don't you play it yourself?*

Il ajuste l'orgue sur ses roues et, avec l'enthousiasme d'un enfant, je le pousse dans les allées. Comme je tourne avec vigueur la manivelle de la soufflerie, les notes saccadées de la mélodie s'échappent de l'instrument et envahissent le square.

Ma casquette d'officier en main, resplendissant dans mon uniforme bleu de la RCAF, je chante à pleine voix la mélodie entraînante des adieux d'un tommy à sa dulcinée.

— *Wish me luck as you wave me goodbye / Cheerio! There I go on my way...*

En ce jour de printemps, les fenêtres des bureaux de la RCAF sont grandes ouvertes et mon solo attire l'attention des filles qui lancent des pièces de monnaie sur le pavé. Le cockney propriétaire de l'orgue à vent, voyant une bonne affaire, s'empresse de les cueillir.

— *Wish me luck as you wave me goodbye / Not a tear, but a cheer, make it gay...*

Les flâneurs étonnés timidement m'accompagnent et bientôt la mélodie remplit le square.

— *Give me a smile I can keep all the while / In my heart while I'm away...*

Marie, gênée, se tient à l'écart. Le décorum britannique en prend un bon coup. Il est inacceptable qu'un officier de Sa Majesté George VI s'exhibe de cette façon. Ma belle-maman, Mary Rees, en ferait une syncope si elle me voyait. Pendant un court instant, il n'y a plus de guerre, il n'y a que de la joie.

— *Till we meet once again, you and I / Wish me luck as you wave me goodbye.*

Je fais des courbettes aux filles du quartier général qui continuent de chanter. Marie me gronde. Je l'embrasse avec passion. Elle me pardonne.

L'officier avec qui j'ai rendez-vous m'apprend que je serai bientôt rapatrié. Marie doit attendre plus tard pour le voyage au Canada, qu'elle fera avec les quelque 40 000 autres *war brides* [1], les épouses de guerre. Elle doit attendre la fin de la guerre.

J'ai peine à contenir ma joie à la pensée que je retourne enfin chez moi. Marie est inquiète de savoir qu'elle devra partir seule.

Le 28 avril, une foule enragée d'Italiens pend par les pieds le dictateur Mussolini et sa maîtresse Claretta Petacci sur la place publique à Milan. Le 30 avril, l'armée allemande en Italie capitule et Hitler se suicide dans son bunker à Berlin.

Ce même jour, je fais mes adieux à Marie et me rends au camp militaire de Damhead près de Liverpool. Le 2 mai, je quitte l'Angleterre pour Halifax sur un navire de la Peninsula & Oriental Line, le *SS Ranchi*.

On ne peut pas savoir quand les milliers de *war brides* iront rejoindre leur conjoint au Canada. Prio-

1. Femmes épousées par des militaires canadiens en Europe durant la Deuxième Guerre mondiale, originaires de la Grande-Bretagne, de la France, de la Belgique et de la Hollande.

ritairement, ce sont les soldats qui sont ramenés chez eux.

Avant de quitter Londres, j'ai appelé M. Burton au ministère de l'Air pour lui faire mes adieux. Je lui ai demandé d'intervenir si possible pour que Marie me rejoigne au plus vite.

— Je vais faire tout ce que je peux pour hâter le départ de votre épouse pour le Canada, m'a-t-il dit.

Le *SS Ranchi* est un gros navire qui vient de l'Orient. Nous ne sommes que 300 à bord. Retournant à Bombay via le canal de Panama, il fait partie d'un convoi d'une cinquantaine de navires qui sont escortés par la marine.

Le voyage est plaisant et la nourriture est bonne. Étant donné le nombre restreint de passagers à bord, nous jouissons du confort de cabines à lits jumeaux. Le 8 mai, un officier annonce dans les haut-parleurs que le capitaine a un message important à nous livrer :

— *Gentlemen,* le capitaine Stuart.

— *I will read to you the extract from the Ship's routine orders, Serial n° 8, Page 1, May 8th 1945. This is VE Day. At 1 PM today (Ship's time) the Prime Minister The Right Honourable Winston R. Churchill announced the unconditional surrender to the Allies of all the German Armed Forces. God bless you and your families.*

Que toutes les armes se soient tues au même moment et que le commandement « Tu ne tueras point » redevienne loi, cela refait de nous des hommes libres. Celui qui tire maintenant est un criminel devant la loi.

Il n'y a plus de canons, ni de bombes, ni de grenades, ni de chars d'assaut, ni de navires qui tirent en colère contre les hommes, les femmes, les enfants et les soldats. Lentement, la réalité de cette déclaration officielle qu'un armistice a été signé, mettant ainsi fin à la guerre, m'enivre. Avec quiétude, je regarde la mer et je laisse mes sanglots noyer dans ma gorge des cris de joie.

Étant sous le commandement de la marine américaine, notre navire battant pavillon anglais ne peut pas célébrer la victoire au champagne, à la bière, pas plus qu'avec tout autre alcool. La marine américaine l'interdit. L'expression *dry* prend ici tout son sens. Les Américains sont *dry* afin de respecter la loi américaine de la prohibition qui date du temps du gangster Al Capone. Qu'importe. Je m'enivre de joie par le truchement de la radio et des haut-parleurs qui transmettent les célébrations qui ont lieu au Times Square, au Piccadilly Square, aux Champs-Élysées, à Toronto et à Montréal. Ce n'est qu'à notre arrivée à Halifax que nous apprenons le saccage du centre-ville par les marins et les soldats à qui les autorités avaient interdit les tavernes et les bars. Ironique, n'est-ce pas ? Heureusement que nous, nous n'avons pas sabordé notre bateau ou pendu l'amiral américain. Plusieurs se seraient bien portés volontaires pourtant.

Notre arrivée à Halifax le 11 mai est décevante. Alors que nous nous attendions à une réception avec tambours et trompettes, nous sommes accueillis par la police militaire et la Gendarmerie royale du Canada.

Je fais parvenir un télégramme à Papa, l'avisant de mon arrivée à Halifax. Le 12 mai, j'arrive vers minuit à Montréal au camp militaire de Lachine. Chambres individuelles avec draps blancs, douches, eau chaude illimitée, savons doux et parfumés. Des petits bonheurs qu'on avait oubliés. C'est la folie collective. Ces braves hommes de retour de guerre se tiraillent comme des enfants dans les douches. On ne peut croire qu'il y a tant d'eau chaude au monde. Les tables garnies de nappes, les beurriers pleins, les pots remplis de crème et de lait, de la confiture, de la cassonade, du sucre, des crêpes, du pain blanc, des céréales, des omelettes, du café, du vrai, tous ces délices dont nous avons été privés et qui ont été refoulés au plus profond de notre mémoire, sont devant nous comme sortant de boîtes à surprises.

Mes compagnons sont impatients de reprendre la route du retour au foyer. Pour ma part, je quitte Montréal tôt le matin du 13 mai à bord du *Maritime Express* en direction de Montmagny. Par télégramme, j'avertis Papa de mon arrivée. Je ne pourrais pas contenir mes larmes au téléphone.

Le sifflement sauvage de la locomotive et la sonnerie des avertisseurs sonores aux traverses à niveau me donnent des frissons. Le train avale le rail avec énergie. À Québec, je fais quelques pas sur le quai pour me dégourdir et admirer le château Frontenac.

Il ne reste qu'une heure à peine avant d'arriver à Montmagny. Je suis tendu, nerveux, inquiet. Ces émotions se bousculent en moi. C'est la fin de l'aventure et le début de l'inconnu. Que sera ma nouvelle cible ?

Le train ralentit, les sifflements déchirent l'air et il glisse le long du quai. La vapeur des chaudières envahit la petite gare. *Kit-bag* en main, toutes mes possessions, quoi, je suis là debout dans mon uniforme bleu, galonné, décoré, de retour chez moi après cinq ans de guerre.

En un instant, mon père en tête, mes frères et mes sœurs font disparaître mes peurs. J'ai peine à reconnaître Monique et Suzanne, que j'avais quittées fillettes. Elles sont maintenant devenues des filles élégantes dans leurs robes fleuries. Margot, son mari Jean-Paul et mon neveu Jacques sont là aussi. Madelon n'est pas venue à la gare car elle travaille à Québec. Je revois Clément, mon frère, qui est aussi mon ami d'enfance et Marcel et Denis qui sont devenus de grands enfants. Pendant un temps, il y a cacophonie de cris, de questions, de rires, de pleurs, de joie et de larmes.

La grande maison est restée la même. Un souper nous réunit tous autour de la grande table. Il me semble impossible de répondre à toutes les questions. Papa me dit :

— J'ai une nouvelle pour toi. J'ai reçu aujourd'hui même un télégramme d'Ottawa, m'avisant que Marie arrivera à Halifax le 16 juin.

— Bravo monsieur Burton, me dis-je à voix haute, expliquant cette dernière remarque à ma famille.

Seul avec Papa :

— Vous souvenez-vous lorsqu'en 1940, vous m'aviez dit que l'on sait quand une guerre commence, mais que personne ne peut en prédire la fin ?

— Oui, Gilles. Tu voulais partir et je ne voulais pas t'en empêcher. Je suis fier de toi. Tu es sain et sauf et tu as apporté la paix.

Le 16 juin, Marie arrive par le train. Ce train fait descendre sur son parcours d'Halifax à Vancouver des centaines de *war brides*.

Marie, élégante dans son beau tailleur bleu comme ses yeux, ses cheveux blonds comme les rayons du soleil, un sourire radieux sur les lèvres, fait à l'instant même la conquête de tous. Le train quitte la gare. Je tiens dans mes bras la plus belle fille du royaume du roi George VI.

L'alouette assagie fait son nid.

Épilogue

Il y a 65 ans, à 1 h 30 du matin, je quittais la base aérienne de Tholthorpe dans le Yorkshire, en Angleterre, comme mitrailleur, dans la nacelle installée sous le fuselage du bombardier Halifax MK I, LW T #620. L'avion était piloté par le lieutenant-colonel Lionel « Jos » Leconte, commandant de l'escadrille 425, dite des Alouettes. Cette escadrille appartenait au groupe n° 6 rassemblant des unités de bombardement canadiennes.

Notre objectif ? La ville côtière de Houlgate, en Normandie. Nous allions bientôt y larguer 16 bombes de 500 livres dans le but de détruire des installations côtières ennemies. Notre raid dura 4 h 50 min.

C'était la nuit même du débarquement des troupes alliées en Normandie. C'était le début de la plus grande invasion de tous les temps au cours de laquelle 170 000 fantassins, 7 000 avions et 5 000 navires des forces armées du Canada, des États-Unis et de l'Angleterre envahirent la Forteresse Europe, nommée ainsi par les Allemands. Nous devions par cette opération complexe ouvrir la voie à une armée alliée de millions de soldats pour la libération de l'Europe du joug des nazis.

À l'aurore du 6 juin 1944, des centaines de bombardiers et de navires canadiens avaient pour mission d'appuyer le débarquement sur les plages de la Normandie.

Tous les soldats canadiens participant à cette opération étaient des volontaires. Tous les marins canadiens et tous les aviateurs canadiens étaient des volontaires. Contrairement à la croyance populaire, il n'y avait pas un seul conscrit canadien sur les plages de la Normandie. Mais ce jour-là, les intellectuels et les historiens de mon enfance étaient encore en service sur les plaines d'Abraham à attendre l'ennemi héréditaire : l'Angleterre…

Entre 1922, année de ma naissance, et 1945, les grands empires du monde s'écroulèrent. La guerre précédente, la Grande Guerre comme on l'appelait avant que n'éclate un nouveau conflit majeur en 1939, avait déjà annoncé la fin d'un monde. En 1945, l'Angleterre gagna finalement la guerre et perdit son empire. La France, qui perdit la guerre en 1940, ne sut pas non plus conserver le sien lorsqu'elle réussit à se ressaisir. L'Allemagne, évidemment, perdit elle aussi son empire. Le rêve insensé de Mussolini d'un nouvel empire romain ne fut que mirage. Et l'empire du Soleil-Levant des Japonais s'évaporait dans un nuage atomique.

Pendant ma vie, j'ai participé ou assisté à de grands événements qui changèrent à jamais la face du globe. Durant la Seconde Guerre mondiale, je n'étais au fond qu'un adolescent qui participait sans tellement s'en rendre compte à la mise en scène des tragédies causées par ce conflit dévastateur.

La guerre détruisit tous les systèmes politiques de l'Europe. Elle fit plus de 40 millions de victimes, civils et militaires confondus. Il n'y eut aucune victime civile au Canada ni aux États-Unis. Pendant ces années de guerre, le Canada et les États-Unis purent, sans danger pour leurs citoyens, s'enrichir en produisant du matériel de guerre.

Nous, du Bomber Command, avions pour cibles les grandes industries de l'Europe ennemie, mais il nous fallait aussi bombarder des objectifs civils. Il fallait coûte que coûte gagner la guerre contre les nazis. La Luftwaffe allemande avait le même type d'objectifs. Comme nous, ils souhaitaient d'abord détruire les industries. Nous ne réfléchissions pas trop alors à ceux qui mourraient sous les bombes. Il fallait gagner la guerre. On nous disait de bombarder. Nous bombardions.

La guerre fut profitable pour le Canada étant donné que notre pays pouvait produire sans craindre de représailles. La guerre contribua de la sorte à faire du Canada une puissance industrielle mondiale. Ainsi est né le Canada moderne du XXe siècle, rêve de Wilfrid Laurier. Quand je suis revenu chez moi en 1945, la pastorale et bucolique province de Québec n'existait plus. Elle avait été emportée par la guerre qui avait fait d'elle une puissance industrielle.

Ce 6 juin 1944, pendant les quelques heures qui suivirent le débarquement, 340 soldats canadiens moururent, 574 furent blessés ou mis « hors de combat », 67 furent faits prisonniers par l'ennemi. Au bout de six jours, 1 917 Canadiens étaient morts. Et à la fin de la campagne de Normandie, 5 020 Canadiens avaient péri. Mais faut-il mesurer l'importance de pareille opération seulement avec des chiffres ?

C'était le jour J, le jour à l'origine d'une vaste campagne pour la libération de l'Europe qui devait durer près d'un an et sceller le sort de la guerre en faveur des Alliés.

La guerre de 1939-1945 a fait 49 500 victimes canadiennes dont 10 000 aviateurs, tous des volontaires. La France se souvient encore de nous mais les gens du Québec, pour des raisons politiques et des rancœurs historiques, fondées ou non, ont souvent oublié leurs enfants partis affronter les ténèbres du jour le plus long : le 6 juin 1944. J'ai survécu à ce jour terrible et vous comprendrez mon désarroi toujours présent lorsque je songe à tous ceux qui, autour de moi, n'échappèrent pas à l'horreur.

Ce 6 juin, Philippe et Maurice Rousseau, fils de Lacasse Rousseau, une des familles les plus respectées de Montmagny, furent tués au combat. Ils étaient tous deux officiers chez les parachutistes. Philippe, harnaché à son parachute, fut tué avant même d'avoir touché le sol à Gonneville-sur-Mer. Il avait 33 ans. Son frère Maurice, lui aussi parachutiste, assistait les membres de la Résistance dans l'opération « Loyton » dont le but était de saboter les voies ferrées. Il est mort en Lorraine, au mois de septembre 1944. Comme nombre de jeunes soldats, il avait épousé une Anglaise, Agnes Horsnby, juste avant de traverser la Manche.

Raymond « Bizo » Béchard, un compagnon de mon adolescence, pilote de l'aviation canadienne, fut tué en Angleterre avec tout son équipage au retour d'un raid. Il était le fils de M. Philippe Béchard, président de la compagnie A. Bélanger ltée, le plus gros employeur de Montmagny.

Que sait-on de Roger Coulombe, Croix de vol, fils d'un cultivateur de Berthier-en-Bas ? On le surnommait le « Berlin Kid ». Il était le pilote de Lancaster le plus connu au Canada : 10 raids successifs sur Berlin, capitale de l'Allemagne, la ville la plus défendue du Troisième Reich. Un fait d'armes très rare pour un militaire, il fut décoré sur-le-champ de la Croix de vol.

Que sait-on encore de Maurice Walsh, fantassin, un petit-cousin, ou de Charles Laberge, pilote de l'aviation canadienne ? Ou encore du général Jacques Chouinard des Forces armées canadiennes, fils d'Alexandre Chouinard, avocat de Montmagny, ou du général Paul Bernatchez du 22e régiment de la campagne d'Italie, ou de mon compagnon d'enfance et frère d'armes, Édouard Jean, Croix de vol, pilote sur les Lancaster, fils du notaire Jean de l'Islet-sur-mer ?

Il y en a bien d'autres de ces soldats oubliés, de ces hommes qui ont laissé dans le sillage de leurs efforts et de leurs sacrifices un Québec et un Canada prospères aux nouvelles générations.

Quand on affiche « Je me souviens », de quoi se souvient-on au juste ? Il n'y a ni rue, ni rivière, ni ruisseau, ni école, ni pont qui porte le nom des frères Rousseau, de Raymond Béchard, de Paul Bernatchez et de tant d'autres. Est-il suffisant que leurs noms soient gravés sur les monuments des anciens combattants pour qu'on puisse ensuite en toute bonne conscience les oublier ?

Dollard des Ormeaux à la tête de ses joyeux fêtards, est-il encore le héros mythique de l'histoire de la Nouvelle-France ? Heureusement que j'avais pour héros mon grand-père Elzéar, capitaine au long cours, au temps de mon enfance, plutôt que ce faux héros qui ne remporta victoire que sur des malheureux déjà vaincus, les Indiens.

Lors du 6 juin 1944, je fis un deuxième raid en Normandie, celui-ci très tard dans la nuit. Nous volions en direction de la ville de Coutances. Lors d'une visite de ma sœur en France, l'historien

Yves Brion, intéressé au fait que j'avais bombardé Coutances durant la nuit du 6 juin, lui raconta que notre opération aérienne avait détruit plus de 1 000 immeubles et fait au-delà de 200 victimes civiles. C'est le prix de la liberté, à ce que l'on dit.

On me demande parfois si j'ai des regrets d'avoir bombardé ces villes allemandes où il y eut plus de 650 000 victimes, dont 70 000 enfants. La barbarie des hommes est due à l'incompétence, la tromperie diplomatique, l'orgueil, l'intolérance, l'ignorance des représentants de toutes les religions, principalement de la chrétienté, car ce fut une guerre fratricide entre chrétiens.

La télévision, la radio et les journaux ont maintenant accès à des tonnes de renseignements sur la guerre, autrefois secrets d'État. La nouvelle génération, les enfants et petits-enfants des baby-boomers, s'intéressent à cette guerre oubliée par leurs parents.

Les gouvernements démocratiques qui ont plié sous les demandes insensées d'Hitler sont aussi responsables. Le seul pays qui osa lui tenir tête fut la Grande-Bretagne, sous la gouverne de son premier ministre Winston Churchill. Du 18 juin 1940, date de la capitulation de la France, au 7 décembre 1941, date d'entrée des États-Unis dans la guerre, la Grande-Bretagne et son empire fut la seule à résister aux nazis.

À la fin de la guerre, contrairement à la croyance générale, les volontaires de nos forces armées ne reçurent pas de pension pour avoir servi leur pays. Seuls les « permanents » y avaient droit. Les volontaires étaient des employés temporaires. Tout le temps de mon service militaire, mon pays m'a protégé, nourri, logé et a su s'occuper de tous mes besoins. Mon pays, le Canada, ne me devait et ne me doit rien.

L'invasion fut l'événement le plus marquant de mes cinq ans à la guerre car elle mettait fin à mes opérations militaires, fin à la peur, à l'angoisse pour ma femme et moi.

Ce temps passé dans l'aviation militaire m'a enseigné la valeur de la camaraderie, la discipline, le respect des autres et le leadership. Ces valeurs m'ont aidé toute ma vie. Mais même si j'ai porté l'uniforme, je ne suis pas né pour me battre. J'ai conservé en moi à jamais le souvenir des infortunes de la guerre.

Au mois d'avril 2002, j'accompagnais mon ami Alexandre Tarusov à Moscou pour une visite dans sa famille. Dans la capitale russe, j'ai été accueilli avec chaleur et affection. Lors de la visite de la ville, c'est Natasha, sa mère, qui me servit gentiment de guide.

Devant le Kremlin, quelques rafales de neige se perdaient sur la place Rouge, puis soudainement le vent venait balayer le pavé. Le Kremlin, entouré d'une muraille imposante de briques rouges, a dédié une partie de ce mur à la mémoire de ses soldats morts au combat.

Des soldats de l'Armée russe montent la garde d'honneur près de la Flamme éternelle. Sans bruit, poussée par le vent, elle frôle le sol puis le vent d'avril la fait tourbillonner vers les nuages.

Au loin, je vois un vieil homme qui, chapeau à la main, salue le mur.

— Natasha, cet homme est un vétéran, un soldat, lui dis-je.

— Comment le savez-vous ? me dit-elle.

— Je le sens, je suis sûr, lui dis-je. Je veux lui parler.

Il me semble si frêle dans son grand manteau. Je me tiens à l'écart pendant que Natasha lui explique

que je suis un vétéran canadien, que j'ai combattu en Tunisie et en Europe et que j'aimerais lui serrer la main. L'URSS a compté à elle seule plus de 20 000 000 de soldats et civils victimes de la guerre et de toutes ses horreurs.

Il se tourne vers moi, s'approche, me regarde profondément dans les yeux, me prend dans ses bras et se met à sangloter. Je ne peux retenir mes larmes non plus. Les larmes appellent bientôt les sanglots.

— *Spasibo ! spasibo ! spasibo !* répète-t-il d'une voix remplie d'émotion. *Spasibo ! spasibo !*

Pendant de longues minutes, sur la place Rouge, deux vieux soldats qui ne se connaissaient pas avant partagent un moment d'émotion si intense que les mots en deviennent inutiles. Nous étions des survivants ! Nous le savions. Cela suffisait.

Peut-être qu'en nos âmes résidait un sentiment de culpabilité, du fait d'être là, vivants, malgré la mort des autres, malgré tout. Le regard embrouillé par les larmes, on finit par se quitter. Lentement, mon soldat inconnu s'éloigna pour se perdre dans la foule tandis que je faisais de même. Malgré la foule, nous restions tout de même à jamais unis par l'expérience commune de la déraison humaine.

La guerre est une insulte à la raison, à la dignité humaine. Je n'ai pas été un guerrier, je ne suis pas un guerrier.

Je crois qu'un jour, un jour peut-être pas si lointain, la raison dominera tous les esprits de la terre. Les nouvelles générations ne laisseront alors plus aucun dogme, politique ou religieux, s'emparer de leurs esprits et faire d'elles des esclaves.

REMERCIEMENTS

Mes remerciements à Bernard Généreux qui m'a mis au défi d'écrire ce livre. Une étreinte affectueuse à André Généreux pour avoir pris le temps d'accompagner son vieil oncle dans sa course folle pour rattraper sa mémoire, dans l'esprit de la devise de l'aviation canadienne : *Per ardua ad astra* (À travers les embûches jusqu'aux étoiles). Je remercie enfin mes jeunes éditeurs.

TABLE

DANS LA COLLECTION
« MÉMOIRE DES AMÉRIQUES »

Jeanne Castille, *Moi, Jeanne Castille, de Louisiane*
Jacques Cartier, *Voyages au Canada*
Laura Castellanos, *Le Mexique en armes. Guérillas et contre-insurrection. 1943-1981*
Michel Cordillot, *Révolutionnaires du Nouveau Monde*
André d'Allemagne, *Le colonialisme au Québec*
Laurent-Olivier David, *Les Patriotes de 1837-1838*
Frederick Douglass, *Mémoires d'un esclave*
Benjamin Franklin, *Avis nécessaire à ceux qui veulent devenir riches. Mémoires et propos au fondement de l'Amérique marchande*
Gabriel Franchère, *Voyage à la côte du Nord-Ouest de l'Amérique*
John Gilmore, *Une histoire du jazz à Montréal*
Lahontan, *Dialogues avec un sauvage*
Paul Lejeune, *Un Français au « Royaume des bestes sauvages »*
Roy MacLaren, *Derrière les lignes ennemies. Les agens secrets canadiens durant la Seconde Guerre mondiale*
Jean-François Nadeau, *Adrien Arcand, führer canadien*
Louis-Joseph Papineau, *Histoire de la résistance du Canada au gouvernement anglais*
Nicolas Perrot, *Mémoire sur les mœurs, coustumes et relligion des sauvages de l'Amérique septentrionale*
Vladimir Pozner, *Les États-Désunis*
Jesús Silva Herzog, *Histoire de la Révolution mexicaine*
Auguste-Henri de Trémaudan, *Histoire de la nation métisse dans l'Ouest canadien*
Howard Zinn, *Une histoire populaire des États-Unis. De 1492 à nos jours*

CET OUVRAGE A ÉTÉ IMPRIMÉ EN DÉCEMBRE 2012 SUR LES PRESSES DES ATELIERS DE L'IMPRIMERIE GAUVIN POUR LE COMPTE DE LUX, ÉDITEUR À L'ENSEIGNE D'UN CHIEN D'OR DE LÉGENDE DESSINÉ PAR ROBERT LAPALME

Il a été composé avec LaTeX, logiciel libre,
par Sébastien MENGIN

La révision du texte a été réalisée
par Nathalie FREITAG

Lux Éditeur
c.p. 129, succ. de Lorimier
Montréal, Qc H2H 1V0

Diffusion et distribution
Au Canada : Flammarion
En Europe : Harmonia Mundi

Imprimé au Québec
sur papier recyclé 100 % postconsommation